Cuisine juive
autour du monde

✡

Cuisine juive autour du monde

Elizabeth Wolf Cohen

KÖNEMANN

Titre original : New Jewish Cooking

Cet ouvrage est un format réduit du même titre
paru aux éditions Könemann.

Copyright © 2000 pour l'édition française
Könemann Verlagsgesellschaft mbH
Bonner Strasse 126, D-50968 Cologne

Traduction de l'anglais : Marie-Anne Trémeau-Böhm
Rédaction et lecture : Joëlle Ribas
Mise en page : Atelier Lauriot Prévost, Paris
Fabrication : Ursula Schümer
Impression et reliure : Midas Printing Limited
Imprimé à Hong Kong

ISBN 3-8290-4800-9
10 9 8 7 6 5 4 3 2 1

SOMMAIRE

INTRODUCTION

La cuisine juive, qui se distingue par son caractère international et ses traditions culinaires, est l'une des plus intéressantes et variées du monde.

Après avoir été chassés de Palestine, il y a plusieurs siècles, les Juifs n'avaient plus d'État à eux. Au fur et à mesure qu'ils s'installaient dans un pays, ils adoptaient la cuisine et les ingrédients locaux. Chaque communauté juive continuait à suivre les préceptes de la cuisine casher et les coutumes de fête, tout en s'adaptant à leur pays d'adoption. Les Juifs du Proche-Orient employaient par exemple du riz et des épices avec des légumes « exotiques » et de l'huile d'olive, alors que les Juifs d'Europe de l'Est conservaient des harengs dans la saumure pour l'hiver et faisaient fondre de la graisse d'oie et de poulet pour préparer de savoureux ragoûts et des *kugels* de pommes de terre.

Le principe essentiel de la cuisine juive est le principe de la *kashrout*, à savoir l'ensemble des règles diététiques de la loi hébraïque, généralement connues sous le nom de « cuisine casher ». Les règles de la *kashrout* tirent leur origine de la Bible et du Talmud et constituent un code écrit. Certaines règles de purification ont des raisons évidentes, d'autres semblent arbitraires, mais elles tiennent presque toujours compte des traditions locales. Certains affirment que ces anciens rites théologiques et symboliques ont été développés pour souligner le caractère exceptionnel des Juifs et leur unité avec Dieu. Quoi qu'il en soit, de strictes prescriptions concernant la façon de choisir et de préparer les mets et la manière dont ils doivent être servis les jours de fête, ont été tirées de ces règles. C'est ce qui fait la particularité de la cuisine juive.

Généralement parlant, on distingue deux groupes de Juifs, les Ashkénazes et les Séfarades, eux-mêmes divisés en sous-groupes dont les limites ne sont pas clairement définies. Les Juifs ashkénazes viennent de pays d'Europe centrale et orientale tels que l'Autriche, l'Allemagne, la Hongrie, la Pologne et l'ancienne Union soviétique. Comme l'Union soviétique était immense, certains Juifs vivant à proximité de la frontière turque ou iranienne ont des traditions culinaires qui ressemblent plutôt à celles de leurs voisins séfarades.

Les Juifs séfarades viennent d'Espagne, du Portugal et du Proche-Orient. Pendant l'Inquisition espagnole, vers la fin du XVᵉ siècle, beaucoup de Juifs furent chassés d'Espagne et du Portugal. Certains allèrent s'installer en Hollande, d'autres retournèrent au Proche-Orient. Ce qui est intéressant, c'est que la préparation de ragoûts longuement mijotés pour le sabbat était considérée par les Espagnols comme la marque caractéristique des Juifs et pouvait ainsi provoquer leur expulsion.

La cuisine ashkénaze est généralement subtile et délicate. Les plats à base de bœuf ou d'agneau, bien assaisonnés et longuement mijotés avec des oignons, des poivrons et un soupçon d'ail, sont typiques. Les fines herbes les plus fréquemment utilisées sont le persil, l'aneth et parfois la ciboulette. Le raifort accompagne la viande, le poisson et toujours le « *gefilte Fisch* ». Les légumes conservés dans la saumure et les cornichons au vinaigre sont très appréciés. La combinaison de vinaigre, de jus de citron ou de crème fraîche et de sel avec du sucre ou du miel donne un goût aigre-doux que l'on trouve dans des plats comme le chou aigre-doux et le chou farci, servis en Allemagne, en Hongrie, en Pologne et dans les pays de l'ancienne Union soviétique.

Une bonne partie de la cuisine d'Europe centrale était basée sur la graisse fondue d'oie ou de poulet et sur le poisson fumé ou salé, parce que ces ingrédients étaient bon marché et partout disponibles. Peu après son introduction, la pomme de terre, aussi populaire que les pâtes aux œufs, devint la spécialité de la cuisine ashkénaze ; elle constitue la base de nombreux plats traditionnels tels que *kreplach* et *kugels*. L'orge, les lentilles et le gruau de sarrasin (*kasha*) sont eux aussi fréquemment utilisés.

Les Juifs autrichiens, hongrois et allemands sont réputés pour leurs pâtisseries. Pendant la grande migration, à la fin du XIXᵉ siècle, époque à laquelle beaucoup d'Européens immigrèrent aux États-Unis, les Juifs allemands fondèrent des boulangeries dans leur pays d'adoption. Ils vendaient des *strudel*, des gâteaux et des gâteaux à la pâte levée, des bagels, des *hallah* et autres pains, variétés de pain qui sont désormais considérées comme aliments typiques de la cuisine juive américaine.

Les fruits et les légumes sont abondamment utilisés dans la cuisine ashkénaze, parce qu'ils sont *pareve*, ou neutres, et peuvent être consommés aussi bien avec des plats de viande qu'avec des plats à base de lait.

La cuisine séfarade est généralement caractérisée par l'utilisation d'huile d'olive, de citron, d'ail et d'épices aromatiques, souvent fortes. Les Juifs grecs et turcs utilisent des fines herbes fraîches telles que l'aneth et la coriandre alors que les Juifs d'Afrique du Nord préfèrent le cumin et le gingembre en poudre. Presque tous les Juifs séfarades emploient de la cannelle, aussi bien pour les plats salés que pour les plats sucrés.

La plupart des Séfarades accordent la préférence à l'agneau et mangent plus volontiers du poisson de mer que du poisson d'eau douce. Au Proche-Orient et dans certains pays du bassin méditerranéen, on consomme des pains plats comme la pita, ainsi que des olives, des aubergines, des courgettes, des artichauts, des tomates, des poivrons et des haricots. Bien que les desserts aient moins d'importance dans la cuisine séfarade que dans la cuisine ashkénaze, les pâtisseries aux œufs et fourrées aux noix, aux amandes, à la cannelle et à l'eau de fleur d'oranger ou de rose sont plus populaires que les desserts à base de produits laitiers.

La cuisine marocaine est extrêmement raffinée car elle a longtemps subi l'influence française. Elle allie épices et ingrédients de la tradition séfarade aux raffinements techniques de la cuisine française. Elle est relevée et aromatique et utilise généreusement safran, jus de citron et citrons en conserve, ail, coriandre et « épices

YÉMÉNITE PORTANT LES *PEYOT* (BOUCLES SUR LES TEMPES) TRADITIONNELLES - LES YÉMÉNITES SONT LES SEULS JUIFS NON EUROPÉENS À PORTER CETTE COIFFURE.

douces » telles que cannelle, muscade, macis, gingembre et piment. Le yoghourt est très apprécié dans tout le Proche-Orient, et le tahin, ou pâte de sésame, joue un rôle essentiel dans la cuisine des pays situés à l'est du bassin méditerranéen et en Égypte.

Les Juifs d'Italie, dont la plupart habitent dans l'un des plus vieux quartiers de Rome, cuisinent généralement conformément à la tradition séfarade. Ils accommodent les nombreux plats de pâtes de la cuisine italienne à leur manière et utilisent les fines herbes italiennes traditionnelles telles que romarin, sauge et basilic.

En Inde, la tradition séfarade est enrichie par des ingrédients et des épices exotiques tels que cumin, cannelle, curcuma, cardamome, graines de coriandre, ail, gingembre, piment et coriandre fraîche. Les Juifs d'Inde sont divisés en trois groupes : les Juifs Bene-Israël, qui vivent surtout à Bombay ; les Juifs de Cochin, sur la côte de Malabar, et les Juifs d'Irak, récemment immigrés. Ces derniers sont arrivés en Inde au XIXᵉ siècle et se sont installés à Bombay et à Calcutta. Les Juifs d'Irak ont combiné les légumes et les fines herbes familières avec les épices et les assaisonnements de la cuisine indienne.

La fondation de l'État d'Israël, après la Seconde Guerre mondiale, a énormément influencé la cuisine juive. Les Israéliens ont fait de grands progrès techniques dans le domaine de l'agriculture, des produits alimentaires et de la préparation des aliments casher. En Israël, on assiste actuellement à une intéressante révolution dans le domaine alimentaire, révolution due à une nouvelle génération de chefs qui s'efforcent de combiner les vieilles traditions, la nouvelle technologie et la multitude d'ingrédients disponibles.

Les Juifs yéménites venus des pays arabes se trouvaient parmi les colons qui s'installèrent dans le nouvel État juif à partir de 1949. Comme ils avaient longtemps vécu à l'écart du reste du monde juif, ils avaient conservé un grand nombre de traditions et de recettes anciennes. Leurs mets, alléchants et bien relevés, qui utilisent cumin, curcuma, ail, coriandre fraîche et *zhoug* (pâte à base de piment), ont été incorporés dans le répertoire israélien et juif.

Grâce aux constants changements que connaissent les peuples du Proche-Orient et surtout d'Israël, la cuisine juive s'enrichit et évolue, sans oublier pour autant ses traditions et ses rites.

Tous ces facteurs se combinent harmonieusement pour donner l'une des cuisines les plus intéressantes et les plus originales qui soient.

✡

KASHROUT – RÈGLES ALIMENTAIRES

La *kashrout*, ou ensemble des prescriptions alimentaires juives pour une alimentation casher, c'est-à-dire pure et convenable, est vaste et parfois très compliquée. Ces prescriptions se fondent sur la Loi Divine, et leurs racines se trouvent dans la Bible et dans le Talmud, les enseignements du judaïsme. Manger casher est un mode de vie qui exige que les mets soient choisis, préparés et combinés conformément aux rituels et lois juives. La *kashrout* révèle bien l'importance de la cuisine et de l'alimentation dans la vie des Juifs.

> LES RECETTES DE CE LIVRE SUPPOSENT
> QUE LA VIANDE ET LA VOLAILLE SONT CASHER. CES INSTRUCTIONS
> NE SONT DONC PAS REPRISES DANS CHAQUE RECETTE. QUAND IL EST
> QUESTION DE BEURRE OU DE MARGARINE, IL FAUT EMPLOYER DE
> LA MARGARINE VÉGÉTALE POUR OBTENIR DES PRÉPARATIONS CASHER.
> LA GRAISSE DE POULE PEUT ÊTRE REMPLACÉE PAR UN PRODUIT
> À BASE DE GRAISSE VÉGÉTALE. LES METS ET INGRÉDIENTS
> DESTINÉS À UN REPAS DE PESSAH DOIVENT ÊTRE CASHER,
> CONFORMÉMENT AUX INSTRUCTIONS.

VIANDES (FLEISHIG) ET VOLAILLES

La Torah, la Bible juive, dit que les seules viandes autorisées sont celles des ruminants aux pieds fendus : la viande de bœuf, de veau, d'agneau, de chevreuil et de chèvre est casher, pas celle de porc. Les viandes de cheval, de chameau, de lapin ou de lièvre ne sont pas casher. Les volailles sont casher, mais les oiseaux de proie, les faisans fraîchement tués, les autres gibiers à plumes et les charognards ne le sont pas. Les traditions locales sont également essentielles pour déterminer ce qui est casher. Certains Juifs du Proche Orient ne mangent pas d'oies, parce qu'elles « vivent à la fois sur la terre et dans l'eau », alors que ces mêmes oies sont une denrée capitale pour l'alimentation des Juifs d'Europe orientale.

Pour que la viande et la volaille soient casher, les bêtes doivent être abattues de manière traditionnelle par un *shohet*, c'est-à-dire un boucher qualifié. Un couteau spécial parfaitement aiguisé, deux fois plus long que la largeur de la gorge de l'animal, sectionne immédiatement la veine jugulaire, la trachée-artère, l'œsophage et deux nerfs vagues, afin de ne pas trop faire souffrir l'animal. Les griffes et la peau des pieds doivent aussi être retirées.

Comme la Torah interdit de consommer du sang, l'animal doit saigner le plus possible. C'est pourquoi on extrait le plus possible de sang de la viande avant de la faire cuire. C'est généralement le boucher qui s'en charge, mais on peut aussi le faire à la maison pour être sûr que tout le sang a été retiré. La viande ou la volaille est d'abord trempée pendant une demi-heure dans de l'eau froide, dans un récipient réservé à cet usage. Elle est ensuite passée sous l'eau claire et frottée régulièrement avec du gros sel, appelé sel casher, puis déposée sur un égouttoir perforé pendant une heure. Ensuite, on fait tomber le sel, et la viande ou la volaille est rincée à l'eau claire par trois fois. La viande hachée doit être achetée casher, mais peut également être hachée après avoir été rendue casher.

Le foie et le foie de volaille doivent être salés, puis posés sur le gril ou sur le feu pour éliminer tout le sang et faire cuire complètement la viande. Les cœurs doivent être découpés, les veines retirées et le sang lavé, avant d'être trempés et salés. Aujourd'hui, quand on achète de la viande, elle a généralement été rendue casher avant le salage.

Certaines parties de l'animal ne sont pas casher et ne peuvent donc être mangées par des Juifs. Seuls les quartiers antérieurs des quadrupèdes autorisés peuvent être mangés. Les quartiers postérieurs peuvent être rendus casher en retirant toutes les veines et les tendons, mais cette méthode est longue et coûteuse, et c'est pourquoi on l'emploie rarement.

POISSONS ET CRUSTACÉS

Les poissons ne sont pas tous casher, seulement ceux qui sont pourvus d'écailles et de nageoires. Les crustacés, écrevisses, anguilles et poissons sans véritables écailles tels que le poisson-chat, la lotte, le requin, le turbot et l'esturgeon (et donc, malheureusement, le caviar) ne sont pas casher. Il n'est pas nécessaire de rendre le poisson casher, car le poisson est *pareve*, c'est-à-dire neutre.

VIANDE ET LAIT

« Tu ne feras point cuire le chevreau dans le lait de sa mère » (Deutéronome, 14/20) est la base de l'interdiction selon laquelle on ne peut consommer viande et produits laitiers ensemble. C'était aussi une façon de rejeter symboliquement la tradition païenne des sacrifices d'animaux ; on croyait en outre que cela facilitait la digestion.

Aujourd'hui encore, certaines communautés juives ont l'habitude d'attendre six heures, après avoir consommé de la viande, avant de manger des aliments contenant du lait. Après un repas ou un plat à base de lait, il suffit par contre d'attendre une heure pour manger de la viande.

Quiconque veut suivre ces préceptes possède des ustensiles, marmites, vaisselle, couverts et même lave-vaisselle séparés! (On peut utiliser de la verrerie et pour la viande et pour le lait, car le verre n'est pas poreux). Le lait et la viande doivent être conservés séparément, même dans le réfrigérateur. Les laitages, dits *milchig*, sont des mets qui contiennent du lait ou des produits laitiers tels que le beurre, quelques sortes de margarine, le fromage ou le yoghourt. Les mets à base de viande ou de volaille sont dits *fleishig*. (On peut employer des succédanés de lait comme le lait de soja pour faire des crèmes, des sauces, etc.)

FRUITS SECS ET NOIX - INGRÉDIENTS CARACTÉRISTIQUES DE LA CUISINE SÉFARADE

METS NEUTRES

Les mets, qui ne sont ni viande, ni volaille, ni à base de lait, sont dits *pareve* ou neutres. Les fruits, les légumes, le poisson, les œufs, les huiles végétales et la margarine végétale peuvent être consommés avec de la viande ou du lait. Il faut toutefois veiller à ce que les œufs n'aient pas de taches de sang, car celles-ci indiquent que l'œuf a déjà été fécondé et doit donc être éliminé. Il est toujours bon de casser un œuf dans un petit bol avant de l'incorporer à une préparation.

FROMAGE ET GÉLATINE

La présure naturelle utilisée pour faire cailler le lait lors de la fabrication du fromage est généralement extraite de la caillette d'un ruminant - le plus souvent de la vache. La plupart des fromages naturels ne sont donc pas casher. Beaucoup de fromages végétariens sont toutefois fabriqués avec des succédanés de présure et peuvent donc être consommés. On trouve de plus en plus de nouvelles sortes de fromage casher sur le marché. Ceci vaut également pour la gélatine fabriquée à partir des os des animaux. La gélatine casher est faite avec du varech et est un succédané autorisé. Beaucoup de non-Juifs et de végétariens préfèrent, eux aussi, les produits laitiers casher, parce que ces derniers sont à base de plantes.

ALCOOL

Les Juifs boivent du vin depuis les temps bibliques ; ce dernier fait partie du rituel du sabbat et des autres fêtes. Les vins et les spiritueux qui contiennent du vin, des raisins fermentés et/ou du brandy doivent porter l'étiquette « casher ». Pour être casher, les raisins doivent être récoltés et traités sous contrôle officiel. Actuellement, la Californie, Israël, la France et d'autres pays vinicoles produisent des vins casher de qualité supérieure. Les eaux-de-vie de fruits et de céréales sont également autorisées.

ALIMENTS CASHER POUR PESSAH

Pendant la Pessah (Pâque), les pains et les aliments fabriqués avec de la levure, comme par exemple la bière et le pain, sont strictement interdits. Ces aliments sont généralement remplacés par de la farine à *matzot* (pain azyme, non levé, pulvérisé) ou de la farine de pomme de terre.

Les usages de Pessah diffèrent selon les traditions régionales. Les Juifs séfarades peuvent manger du riz, mais pas les Juifs ashkénazes. Mais dans toutes les communautés, on dresse une table de fête à l'occasion du *Seder* de Pessah et les mets choisis pour ce repas de cérémonie ont une valeur symbolique.

Mets traditionnels et condiments

ZHOUG

LEBNAH

HAROSET SÉFARADE

HAROSET ASHKÉNAZE

CONSERVES DE BETTERAVES ROUGES

SCHMALTZ ET RILLONS

ŒUFS EN SAUMURE

SAUCE AU TAHIN

SAUCE AU RAIFORT ET AUX BETTERAVES ROUGES

ZHOUG

POUR 125 ml

La *zhoug* est un condiment fait avec des piments réduits en purée ; on l'emploie souvent dans la cuisine yéménite. Elle est extrêmement forte et il n'est pas nécessaire d'en consommer beaucoup. On peut mélanger la *zhoug* aux ragoûts ou aux plats de légumes pour leur donner une saveur épicée ; on peut aussi la servir comme condiment avec des sandwiches de pita, des *kebabs* ou des *falafel* (voir page 23).

Elle peut être faite avec des piments rouges ou verts.

- 5 ou 6 piments frais
- 3 ou 4 gousses d'ail, pelées
- 3/4 de cuil. à café de sel
- Poivre noir moulu
- 1 cuil. à café de cumin moulu
- 1/4 de cuil. à café de cardamome moulue

☐ Enfiler des gants en caoutchouc, retirer les trognons et les graines des piments. (Les graines rendent la sauce encore plus piquante.)

☐ Passer les piments et l'ail dans un mixeur avec tranchant métallique et hacher très finement. Le mélange doit avoir la consistance d'une purée. Ajouter 1 ou 2 cuillerées à soupe d'eau et les autres épices. Bien mélanger les ingrédients. On peut conserver la *zhoug* une semaine dans un bocal hermétique.

LEBNAH

POUR 750 g

Le *lebnah* est un savoureux fromage frais mou fabriqué avec du yoghourt dans tout le Proche-Orient. Il est onctueux et crémeux et a un goût légèrement acide, ce qui convient aussi bien aux aliments sucrés qu'aux aliments salés. Dans les épiceries orientales, on trouve souvent des boules de *lebnah* baignant dans de l'huile d'olive, mais on peut aussi les fabriquer soi-même.

- 900 ml de yaourt nature de bonne qualité
- 1 cuil. à café de sel
- Huile d'olive (facultatif)
- Persil frais haché (facultatif)

☐ Mouiller légèrement une mousseline double ou un torchon propre et en garnir une passoire. Suspendre la passoire au-dessus d'un grand bol.

☐ Mélanger le yaourt et le sel et verser le tout dans la passoire. Recouvrir la surface avec les extrémités de la mousseline ou du torchon, mettre au frais toute la nuit ou jusqu'à ce que le liquide soit complètement égoutté.

☐ Verser dans une jatte ou un bol peu profond et servir comme n'importe quel fromage frais. On peut aussi modeler de petites boules de la grosseur d'une noix, les disposer dans une jatte peu profonde et verser dessus de l'huile d'olive goutte à goutte. Parsemer de persil haché et servir avec une pita chaude.

HAROSET SÉFARADE

POUR 625 g

Le *haroset* est un mélange de fruits et de noix que l'on sert à l'occasion de Pessah pour symboliser le mortier et les pierres utilisés pour construire les pyramides égyptiennes. Le *haroset* atténue l'amertume des herbes qui se trouvent sur l'assiette du *Seder*. Il existe d'innombrables variantes : dans les recettes ashkénazes, on trouve généralement des pommes, des amandes ou des noix, de la cannelle et du vin, alors que les variantes séfarades contiennent des dattes, des noix, des raisins secs, des oranges, des figues, de la coriandre et beaucoup d'autres ingrédients exotiques.

- 90 g d'amandes émondées
- 90 g de noix concassées
- 250 g de dattes fraîches, dénoyautées
- 175 g de raisins secs
- 1 grenade coupée en quatre, épépinée, avec son jus
- 1 cuil. à café de cannelle moulue
- 1/2 cuil. à café de gingembre moulu
- 1/4 de cuil. à café de cayenne
- 1/4 de cuil. à café de clous de girofle moulus
- 1/4 de cuil. à café de cardamome moulue
- 1 ou 2 cuil. à soupe de jus d'orange

☐ Hacher les noix grossièrement, ou plus finement si l'on préfère, dans un mixeur pourvu d'un tranchant métallique. Les verser dans un bol.

☐ Mettre les dattes et les raisins secs dans le mixeur et les hacher 10 à 15 secondes mais pas plus longtemps, sinon on obtiendrait une purée de fruits. Incorporer aux noix. Ajouter les pépins et le jus de grenade dans le mixeur et hacher finement.

☐ Incorporer la grenade aux noix et aux fruits et ajouter les épices. Goûter et assaisonner. Mouiller légèrement avec le jus d'orange. Mettre au frais avant de servir.

DANS CETTE ÉPICERIE FINE, À NEW YORK, ON TROUVE TOUT CE QU'IL FAUT POUR PRÉPARER UN REPAS JUIF.

HAROSET ASHKÉNAZE

POUR 550 g

- 250 g de noix concassées ou de moitiés de noix de pécan
- 2 grosses pommes, coupées en quatre et épépinées, mais non pelées
- 2 cuil. à soupe de sucre ou de sucre roux
- 1 cuil. à café de cannelle moulue
- 1/4 de cuil. à café de poivre de la Jamaïque
- 1 zeste de citron et un peu de jus
- 2 ou 3 cuil. à soupe de vin doux casher

☐ Concasser les noix dans un mixeur à tranchant métallique. Verser dans un bol.

☐ Ajouter les quartiers de pommes dans le mixeur et les hacher pendant 10 à 15 secondes. Ne pas hacher trop finement, sinon les pommes seraient réduites en bouillie.

☐ Verser les pommes dans le bol et les incorporer aux autres ingrédients. Goûter et ajouter du sucre ou du jus de citron si nécessaire. Mettre au frais avant de servir.

CONSERVES DE BETTERAVES ROUGES

POUR 1 kg

Comme beaucoup d'autres plats ashkénazes à base de betterave rouge, ce légume en conserve est servi à l'occasion de Pessah. Il est facile à préparer et délicieux quand il est tartiné sur des *matzot*, à l'heure du thé, comme l'aiment les Juifs d'Ukraine, de Lituanie et de Russie. Si vous désirez le conserver plus longtemps, suivez les indications du fabricant de bocaux ; sinon, limitez-vous à une quantité que vous pourrez conserver au réfrigérateur et consommer pendant la Pessah. On peut procéder de même avec des radis noirs.

- 250 g de sucre
- 50 ml de miel
- 1 cuil. à soupe de gingembre moulu
- 1,4 kg de betteraves rouges, cuites, pelées et râpées ou coupées en fines lamelles
- 2 citrons, coupés en deux dans le sens de la longueur, épépinés et coupés en fines rondelles
- 90 g d'amandes émondées et hachées

☐ Porter à ébullition sucre, miel, gingembre et 125 ml d'eau dans une grande casserole non métallique, sur feu moyen ou vif. Laisser mijoter 5 à 7 minutes jusqu'à ce que le sucre soit entièrement dissous et le liquide sirupeux.

☐ Ajouter les lamelles de betteraves rouges et les rondelles de citron, mélanger. Porter à ébullition, faire réduire 30 à 40 minutes sur feu doux jusqu'à ce que la masse soit très épaisse. Secouer la casserole de temps en temps afin que le mélange ne colle pas au fond. Incorporer les amandes.

☐ Préparer les bocaux conformément aux instructions du fabricant, verser délicatement le mélange avec une cuiller. On peut aussi rincer les bocaux à l'eau claire et les passer 5 à 7 minutes au four (180 °C). Remplir les bocaux avec le mélange, laisser refroidir et fermer. Consommer dans les 2 à 3 semaines qui suivent.

✡

SCHMALTZ ET RILLONS

POUR 60 g

La graisse fondue (schmaltz) et les rillons sont moins populaires depuis que la médecine a établi un rapport entre les maladies cardiaques et la consommation de graisses animales. Les cuisiniers d'Europe centrale et d'Europe de l'Est recueillaient la graisse de poulet, d'oie ou de canard et les utilisaient non seulement pour cuisiner, mais aussi pour assaisonner les ragoûts. Le foie haché traditionnel est inconcevable sans graisse fondue. Aujourd'hui, on utilise de la margarine et de l'huile, mais de temps à autre, les pommes de terre revenues dans de la graisse fondue sont un délice. Les rillons sont de petits morceaux de peau de volaille. Ils sont également utilisés avec du foie haché ou des pommes de terre, ou encore consommés comme des chips.

- Peau de poulet
- 250 g de graisse de poulet, d'oie ou de canard, provenant de
- l'intérieur et de la peau du volatile, coupés en petits morceaux
- 1/2 oignon haché (facultatif)

☐ Mélanger la graisse de volaille, la peau de poulet et l'oignon avec 60 ml d'eau dans une casserole. Faire cuire à petit feu jusqu'à ce que la graisse soit fondue et l'eau évaporée. La peau et l'oignon doivent être croustillants. Passer la graisse fondue (*schmaltz*) dans un petit bol, égoutter la peau (rillons) et les morceaux d'oignon sur du papier absorbant. Conserver au réfrigérateur et utiliser pour faire frire ou rôtir.

✡

ŒUFS EN SAUMURE

POUR 6 PERSONNES

Conformément à la tradition, ce plat était seulement servi sur la table du *Seder* de Pessah, car il symbolise l'offrande pour le temple, le deuil des morts du temple ; c'est aussi le symbole de la naissance et de la vie. Cette ancienne tradition existe encore actuellement.

- 3 cuil. à café de sel
- 6 œufs durs écalés

☐ Faire dissoudre le sel dans 900 ml à 1,25 l d'eau, dans un saladier ou une soupière. Y plonger les œufs entiers environ 30 minutes avant de servir puis mettre au frais. Servir chaque œuf avec un peu de saumure dans un petit bol.

SAUCE AU TAHIN

POUR 250 ml

Le *tahin* est une pâte à base de graines de sésame. On le trouve souvent en Grèce, à Chypre, en Israël et au Proche-Orient, servi avec des plats *meze*. Il est vendu en boîte ou en bocal. Cette sauce a un goût et une consistance caractéristiques qui accompagnent très bien la viande et les mets grillés ainsi que la salade.

- 1 gousse d'ail, épluchée et écrasée
- 125 ml de tahin
- 60 ml de jus de citron
- 1/4 de cuil. à café de sel
- Persil frais finement haché ou coriandre, pour garnir

☐ Frotter un petit bol avec de l'ail puis laisser l'ail dans le bol. Ajouter du tahin et mélanger avec 60 ml d'eau, le jus de citron et le sel, à l'aide d'une fourchette. Nettoyer les bords du bol et parsemer le tout de persil haché ou de coriandre. Mettre au frais jusqu'au moment de servir.

SAUCE AU RAIFORT ET AUX BETTERAVES ROUGES

POUR 750 ml

Le raifort, *chrein* en russe, est considéré comme l'une des fines herbes les plus amères de la table de Pessah. Cette sauce est volontiers servie avec du « *gefilte fisch* », du corned-beef ou autres viandes. Le raifort frais est comme le piment ou les oignons - il peut brûler les yeux et la peau ; il est donc recommandé de porter des gants de caoutchouc pour le préparer et de le concasser avec un robot de cuisine, si possible.

- 1 raifort moyen frais
- 3 à 4 betteraves cuites, épluchées et coupées en morceaux
- 1 cuil. à café de sucre roux ou de miel
- Poivre noir fraîchement moulu
- 175 à 250 ml de vinaigre de cidre ou de vinaigre d'alcool

☐ Enfiler des gants de caoutchouc et éplucher le raifort avec un couteau à légumes. Couper les extrémités. Râper le raifort à l'aide d'un robot électrique.

☐ Râper les betteraves rouges cuites sur le raifort sans ouvrir l'appareil.

☐ Verser ensuite dans un bol, mélanger avec du sucre brun ou du miel, ajouter du poivre et du vinaigre. Si la sauce est trop épaisse, ajouter un peu de vinaigre. Conserver au réfrigérateur dans un bocal hermétique.

> **CONSEIL**
>
> LE GOÛT RELEVÉ DU RAIFORT VARIE SELON L'ESPÈCE ET L'ÂGE. IL FAUT DONC GOÛTER LE MÉLANGE ET RECTIFIER L'ASSAISONNEMENT EN CONSÉQUENCE.

AMUSE-GUEULES ET SOUPES

PIROJKI

HARENG HACHÉ

HARENGS À LA CRÈME FRAÎCHE

FOIES DE VOLAILLES HACHÉS

PIEDS DE VEAU EN GELÉE

BABA GANOUSH

FALAFEL

HUMMUS

ARTICHAUTS À LA JUIVE

KNISCHES AU FROMAGE

POISSON MARINÉ À LA PÉRUVIENNE

BORCHTCH AUX BETTERAVES ROUGES

SOUPE AU CHOU AIGRE-DOUCE

SOUPE AUX CHAMPIGNONS ET À L'ORGE

SOUPE DE LENTILLES

SOUPE DE POULET AUX BOULETTES DE MATZOT

SOUPE ITALIENNE AUX HARICOTS ET AUX PÂTES

CHTCHI

PIROJKI

POUR 38 PIROJKI

Les pirojki sont de minuscules gâteaux originaires de Russie, généralement consommés avec un bouillon de viande ou de volaille. On peut également les manger seuls. À cause de l'exode massif des juifs russes en Amérique et en Israël, au cours des dernières années, ils sont de plus en plus populaires; ils conviennent très bien comme canapés ou comme hors-d'oeuvre. La tradition veut qu'ils soient faits avec de la pâte levée, mais on peut aussi utiliser de la pâte feuilletée toute prête ou faite à la maison. La farce peut varier; elle peut être constituée de viande, de poisson, de champignons, de fromage et d'épinards ou de tout autre ingrédient.

- 1 cuil. à soupe de levure déshydratée
- 1 cuil. à soupe de sucre
- 310 ml d'eau tiède
- 375 à 425 g de farine
- 2 cul. à café de sel
- 125 g margarine fondue refroidie
- 2 gros œufs battus
- Huile végétale pour graisser la terrine
- 1 oeuf battu avec 1 pincée de sel et de sucre, pour badigeonner la pâte

FARCE

- 1 cuil. à soupe d'huile végétale
- 1 oignon moyen, finement haché
- 250 g de hachis de boeuf ou de veau
- 1 cuil. à café de sel
- Poivre noir fraîchement moulu
- 1/4 de cuil. à café de thym séché
- 1/4 de cuil. à café de muscade
- 1 oeuf battu

◻ Préparer la pâte. Mélanger à cet effet la levure, le sucre et 60 ml de l'eau tiède dans un petit bol. Laisser reposer 10 à 15 minutes jusqu'à ce que le mélange commence à mousser.

◻ Verser 375 g de farine et le sel dans une grande terrine, faire un puits au milieu. Verser le mélange mousseux à base de levure, l'eau restante, la marga-rine fondue refroidie et les oeufs battus. Bien pétrir pour obtenir une pâte molle.

◻ Mettre la pâte sur un plan de travail légèrement fariné et la pétrir délicatement. Ajouter un peu de farine si la pâte colle. Au bout de 10 à 15 minutes, la pâte est homogène et élastique.

◻ Former une boule de pâte, la placer dans une terrine huilée. Recouvrir avec un torchon propre et laisser lever la pâte 1 heure à 1 heure 30 au chaud. Pétrir de nouveau, couvrir et mettre au réfrigérateur pendant la nuit. (Si on a besoin de la pâte immédiatement, couvrir et laisser lever au chaud encore 1 heure environ.)

◻ Préparer la farce. Faire chauffer l'huile dans une poêle à feu moyen. Ajouter l'oignon haché et faire revenir 5 minutes environ. Ajouter le boeuf ou le veau haché et faire cuire 5 à 7 minutes en remuant de temps en temps, jusqu'à ce que la viande ait perdu sa couleur rouge et jusqu'à ce que le liquide se soit évaporé. Saler, poivrer, ajouter thym et muscade, retirer du feu et laisser refroidir un peu. Incorporer l'oeuf battu, verser dans un bol, couvrir et mettre au réfrigérateur jusqu'au moment de l'emploi. (La farce peut être préparée plusieurs heures à l'avance ou même la veille.)

◻ Graisser deux grandes plaques (afin de préparer une plaque pendant que l'autre est dans le four). Couper la pâte en 3 ou 4 morceaux; pendant que l'on travaille un morceau, mettre le reste au réfrigérateur.

◻ Abaisser la pâte sur 3 mm d'épaisseur, sur un plan de travail légèrement fariné. Découper autant de rondelles que possible avec un emporte-pièce de 7,5 cm de diamètre. Badigeonner les bords de chaque rondelle avec un peu d'œuf battu. Déposer au milieu une cuillerée à café de farce et plier pour obtenir une demi-lune. Bien appuyer sur les bords. Répéter l'opération avec le reste de la pâte.

◻ Poser les demi-lunes sur une plaque, recouvrir avec un torchon propre et laisser lever 20 minutes au chaud. Préchauffer le four (200 °C).

◻ Badigeonner chaque demi-lune avec l'oeuf battu et passer au four 15 à 20 minutes jusqu'à ce que les *pirojki* soient dorés et gonflés. Laisser refroidir et servir à température ambiante.

CONSEIL

LES *PIROJKI* PEUVENT
ÊTRE PRÉPARÉS ET CONSERVÉS
AU RÉFRIGÉRATEUR.
PASSER 5 À 7 MINUTES AU FOUR
À 180 °C AVANT DE SERVIR.

FIDÈLES AVEC *TEFILLIN* (BOÎTES CONTENANT DES PASSAGES DE L'ÉCRITURE SAINTE, FIXÉES AU MOYEN DE LANIÈRES DE CUIR), DANS UNE SYNAGOGUE MOSCOVITE.

✡

HARENG HACHÉ

POUR 4-6 PERSONNES

Dans les communautés juives pauvres d'Europe orientale, la tradition voulait que l'on mange du hareng le jour de Yom Kippour (jour de la Purification), à la fin du jeûne absolu afin de restaurer la teneur en sel dans le corps. C'est un hors-d'œuvre populaire chez les Juifs d'Angleterre et d'Afrique du Sud, souvent servi le vendredi soir.

- 12 biscuits
- 4 pommes Granny Smith, coupées en quatre et épépinées, mais pas épluchées
- 4 œufs durs coupés en quatre
- 4 harengs salés, filetés et trempés pendant la nuit
- 60 ml de vinaigre de cidre ou de vinaigre d'alcool
- Poivre noir fraîchement moulu
- 1/4 de cuil. à café de cannelle
- 1 à 2 cuil. à café de sucre
- Persil frais pour garnir

☐ Concasser les biscuits dans un mixeur. Verser dans un grand bol. Ajouter les pommes dans le mixeur et hacher un instant, pas trop finement, car elles se transformeraient en bouillie. Verser dans le bol.

☐ Mettre les quarts d'œufs dans le mixeur et les broyer. Ajouter le hareng et hacher un court instant pour éviter l'obtention d'une pâte. Verser dans le bol et bien remuer.

☐ Ajouter le vinaigre, le poivre, la cannelle et le sucre. Goûter et rajouter du vinaigre ou du sucre, si nécessaire. Arranger le hareng haché sur un plat de service, couvrir avec du film plastique et mettre au frais. Garnir avec des brins de persil et servir.

CONSEIL

LES SABLÉS PEUVENT ÊTRE REMPLACÉS PAR DES MATZOT, SI L'ON DÉSIRE SERVIR CE PLAT POUR PESSAH.

✡

HARENGS À LA CRÈME FRAÎCHE

POUR 6-8 PERSONNES

Les harengs étaient une composante fixe des menus polonais, hongrois et tchèques, et dans d'autres pays d'Europe orientale, parce qu'ils étaient bon marché. On trouve actuellement toutes sortes de harengs dans les magasins juifs spécialisés. Les harengs salés doivent être trempés dans l'eau froide au moins 4 heures avant emploi.

- 1,5 kg de harengs trempés ou de harengs à la sauce au vin, égouttés
- 1 oignon rouge, coupé en lamelles minces
- 4 pommes Granny Smith, coupées en deux et épépinées, mais pas pelées
- 1/2 cuil. à soupe de jus de citron ou de vinaigre de cidre
- 1/2 cuil. à café de cannelle
- 2 cuil. à café de sucre
- 250 ml de crème aigre ou de yaourt
- Poivre noir moulu
- Trévise et branches d'aneth pour garnir
- Pain noir

☐ Tamponner les harengs avec du papier absorbant. Jeter l'oignon et le liquide du bocal de harengs. Poser chaque hareng à plat sur un tranchoir et le couper en diagonale en 5 ou 6 morceaux avec un couteau affilé. Mettre dans une terrine et ajouter les lamelles d'oignon.

☐ Poser les moitiés de pommes, côté coupé vers le bas, sur le tranchoir et couper en tranches minces. Incorporer au mélange de harengs et d'oignon.

☐ Mélanger le jus de citron ou le vinaigre avec la cannelle, le sucre et la crème aigre ou le yaourt dans un petit bol. Poivrer.

☐ Verser la sauce sur les harengs, oignons et pommes, bien mélanger. Recouvrir la terrine avec une feuille transparente et mettre au frais 2 heures ou toute la nuit.

☐ Pour servir, disposer une ou deux feuilles de trévise sur chaque assiette, répartir dessus la salade de harengs et garnir avec des feuilles d'aneth. Servir accompagné de pain noir.

FOIES DE VOLAILLES HACHÉS

POUR 6-8 PERSONNES

Cette recette est peut-être la plus connue et la plus appréciée de la cuisine juive. Personne ne connaît exactement son origine, mais quand il est question de foie haché, tout le monde est spécialiste. La tradition veut que l'on emploie de la graisse de poulet pour faire revenir les oignons, car elle lie le mélange et le rend homogène. Dans cette variante, la graisse est remplacée par de l'huile végétale, qui est moins riche. On peut utiliser de la margarine casher. Servir avec un pain de seigle, une *hallah* ou encore un *matzot*.
Si l'on désire une présentation élégante, on peut mettre les foies de volaille hachés sur des toasts ou des crackers à l'aide d'une poche à douille.

- 500 g de foies de volailles
- Sel
- Poivre noir moulu
- 2 cuil. à soupe d'huile végétale
- 2 oignons moyens hachés

- 4 gros œufs durs hachés
- Bouillon de poulet (facultatif)
- Lanières de salade et tomates cerises pour garnir

☐ Préchauffer le gril. Disposer les foies sur une poêle à griller garnie d'une feuille d'aluminium et saupoudrer de sel. Faire griller 3 à 4 minutes jusqu'à ce qu'ils soient dorés. Retourner, saupoudrer de sel et faire griller jusqu'à ce qu'ils soient à point et aient perdu leur couleur rose. Poser les foies sur une grille pour les faire refroidir et égoutter.

☐ Faire chauffer l'huile dans une grande poêle sur feu moyen. Ajouter les oignons hachés et les faire revenir 10 à 12 minutes. Remuer de temps en temps.

☐ Hacher grossièrement les foies avec un mixeur à tranchant métallique. Ajouter les oignons et les hacher un instant pour mélanger foies et oignons. Incorporer les œufs hachés, le sel et le poivre, et mélanger encore un instant. Si le mélange est trop sec, ajouter un peu d'huile ou une cuillerée à soupe de bouillon de volaille.

☐ Verser la préparation dans une terrine de service, couvrir et mettre au frais au moins 2 heures avant de servir. Garnir avec des lanières de laitue et des tomates cerises.

PIEDS DE VEAU EN GELÉE

POUR 8 PERSONNES

Certains l'aiment, d'autres le détestent, mais ce plat traditionnel est toujours très populaire chez les Juifs d'Europe orientale. Quand il est bien préparé, il ressemble à certains plats modernes pauvres en calories, que nous lui préférons aujourd'hui. Afin que la gelée ait une belle apparence, les ingrédients doivent être versés dans une terrine et garnis avec de fines herbes fraîches. On peut faire couper les pieds de veau en morceaux par le boucher, afin de pouvoir les cuisiner plus facilement.

- 4 pieds de veau, nettoyés, coupés en deux, puis en morceaux
- 500 g de jarret de veau ou 500 g de cuisses de poulet
- 1 gros oignon coupé en rondelles
- 1 carotte
- 1 branche de céleri
- 4 feuilles de laurier
- 6 à 8 gousses d'ail, épluchées

- et légèrement écrasées
- 1 1/2 cuil. à café de sel
- 1 cuil. à soupe de grains de poivre
- 2 cuil. à soupe de jus de citron ou de vinaigre de cidre
- 3 à 4 gros œufs durs coupés en tranches
- Citron et brins de persil frais pour garnir

☐ Mettre les pieds de veau coupés en morceaux dans une grande marmite et les couvrir d'eau froide. Porter à ébullition, puis laisser mijoter 5 minutes. Verser dans une grande passoire, passer les pieds de veau sous l'eau froide.

☐ Remettre les pieds de veau dans la marmite propre et couvrir de nouveau avec de l'eau froide. Ajouter tous les autres ingrédients, sauf le jus de citron ou le vinaigre, les œufs durs et les branches de persil. Porter à ébullition, laisser mijoter 5 minutes. Écumer si nécessaire avec une cuiller de bois mouillée.

☐ Couvrir partiellement la marmite et faire cuire les pieds de veau 3 à 4 heures sur feu doux. Écumer de temps en temps. La viande doit être très tendre et se détacher de l'os.

☐ Sortir délicatement les pieds de veau et la viande avec une écumoire et les poser sur un tranchoir. Verser le liquide dans une grande terrine résistant à la chaleur. Laver la marmite et y remettre le liquide avec le jus de citron.

☐ Détacher le cartilage et la viande de l'os, les couper en petits morceaux. Mettre la viande dans le liquide.

☐ Verser la moitié du liquide et la viande dans une terrine, mettre au frais jusqu'à ce que le liquide commence à se solidifier. Disposer les rondelles d'œuf dur à la surface et appuyer légèrement dessus. Verser lentement le reste de liquide et de viande par-dessus. Mettre au réfrigérateur toute la nuit, jusqu'à ce que la gelée soit ferme.

☐ Pour servir, détacher la gelée de la terrine (ou renverser sur un plat de service). Garnir avec du citron et du persil.

VUE SUR LE « DANUBE BLEU », À BUDAPEST

BABA GANOUSH

POUR 8-10 PERSONNES

Il existe de nombreuses variantes de cette sauce à base d'aubergines et de tahin, qui est très populaire au Proche-Orient. La sauce est excellente quand les aubergines ont été grillées 30 à 40 minutes sur un barbecue, jusqu'à ce qu'elles soient bien tendres et que la peau soit noire et ridée. La sauce a ainsi un petit goût fumé.

- 2 aubergines de taille moyenne, env. 750 g au total
- 60 ml de jus de citron
- 60 ml de tahin (pâte de sésame)
- 3 à 4 gousses d'ail, pelées, épluchées et écrasées
- Sel
- Poivre noir moulu
- Huile d'olive
- Persil frais haché et olives mûres pour garnir
- Pita chaude

☐ Préchauffer le four (230 °C). Piquer les aubergines avec une fourchette ou avec un couteau pointu. Les placer sur une plaque à four et les faire cuire 30 à 40 minutes jusqu'à ce qu'elles soient tendres et ridées. Laisser refroidir un peu.

☐ Couper chaque aubergine dans le sens de la longueur, extraire la chair avec une cuiller. Passer la chair dans un mixeur jusqu'à obtention d'une purée homogène.

☐ Ajouter jus de citron, tahin, ail, sel et poivre ; bien mélanger. Pendant cette opération, ajouter 2 à 3 cuillerées d'huile d'olive afin que la sauce soit crémeuse. Assaisonner, verser dans une terrine, couvrir avec du film plastique et mettre au frais pendant 2 heures ou toute la nuit.

☐ Pour servir, disposer dans une terrine peu profonde ou sur des assiettes individuelles, faire un creux au milieu avec le dos d'une cuiller. Verser un peu d'huile d'olive dessus, parsemer de persil haché et garnir avec des olives mûres. Servir avec une pita chaude.

FALAFEL

POUR 30 FALAFEL

On pourrait presque dire que ces petites boulettes de pois chiches, épicées et passées dans la friture, sont le plat national israélien, bien qu'on en mange aussi dans tout le Proche-Orient. On peut les servir seules, comme partie d'une *meze*, ou encore dans une pita, avec de la salade, des tomates et des concombres. La *zhoug* et la sauce au tahin (voir pages 11 et 15) sont de rigueur pour accompagner les *falafel*.

- 175 g de pois chiches secs, trempés pendant au moins 12 h ou toute la nuit
- 1 tranche de pain blanc rassis, sans la croûte
- 1 oignon moyen, coupé en quatre
- 4 à 5 gousses d'ail
- 2 cuil. à soupe de coriandre ou de persil frais hachés
- 1 cuil. à soupe de coriandre moulue
- 1 cuil. à soupe de cumin moulu
- 2 cuil. à café de sel
- Poivre noir moulu
- 45 g de boulghour passé à l'eau ou 3 cuil. à soupe de farine
- 1 cuil. à café de levure chimique
- Huile végétale pour la friture
- Pita, salade israélienne (voir p. 89), pickles, zhoug et tahin

☐ Rincer les pois chiches. Mouiller légèrement le pain avec 1 cuillerée d'eau et presser.

☐ Mettre les pois chiches et le pain dans un mixeur à tranchant métallique, en plusieurs fois si nécessaire, et les mélanger jusqu'à obtention d'une pâte moyennement fine. Verser le mélange dans une terrine.

☐ Mettre les quarts d'oignon dans le mixeur et les hacher finement. Verser sur la purée de pois chiches et bien nettoyer le mixeur. Mettre les gousses d'ail dans le mixeur et les hacher finement. Ajouter ensuite la coriandre ou le persil et bien broyer. Incorporer ce mélange aux pois chiches et aux oignons et bien mélanger le tout.

☐ Assaisonner avec coriandre, cumin, sel et poivre noir et goûter. Délayer le boulghour ou la farine et la levure chimique. Bien mélanger.

☐ Prendre 1 cuillerée à soupe de purée avec les mains mouillées et former une petite boulette de la grosseur d'une noix. Déposer la boulette sur une plaque. Répéter l'opération jusqu'à ce que la pâte soit épuisée. (Jusque-là, les *falafel* peuvent être préparées plusieurs heures à l'avance.)

☐ Faire chauffer de l'huile dans une friteuse ou dans une marmite (180 °C). Verser délicatement le quart des boulettes dans l'huile et les faire dorer 2 à 3 minutes. Les sortir de la friture avec une écumoire, les égoutter sur du papier absorbant. Répéter l'opération avec le reste de boulettes.

☐ Servir chaud dans une pita, avec de la salade israélienne ou des poivrons en conserve, zhoug et tahin.

HUMMUS

POUR 8-10 PERSONNES

Cette purée de pois chiches, crémeuse et dorée, est une spécialité qu'apprécient aussi bien les Juifs que les non-Juifs du Proche-Orient. On la consomme en hors-d'œuvre ou comme l'un des nombreux plats d'une *meze* du Proche-Orient. L'*hummus* se conserve très bien au réfrigérateur, on peut donc en préparer une plus grande quantité, car cette préparation est idéale quand des invités arrivent à l'improviste.

- 450 g de pois chiches secs ou 2 boîtes de pois chiches bien rincés
- sel et poivre de cayenne
- 4 à 6 gousses d'ail, épluchées et écrasées
- 60 ml de jus de citron
- 60 ml de tahin (pâte de sésame)
- Huile d'olive et persil frais haché (facultatif)

☐ Bien laver les pois chiches secs et jeter ceux qui sont cassés ou décolorés. Les verser dans une grande terrine et les recouvrir d'eau froide. Laisser tremper 12 heures ou pendant toute la nuit.

☐ Verser les pois chiches et l'eau de trempage dans une grande marmite et porter à ébullition. Réduire la température et laisser mijoter pendant près de 2 heures jusqu'à ce que les pois chiches soient très tendres.

☐ Ajouter une cuillerée à café de sel et laisser mijoter 30 minutes. Bien égoutter, mais conserver 1 cuillerée à soupe de pois chiches et un peu de liquide de cuisson.

☐ Verser les pois chiches cuits ou en boîte dans une passoire pour séparer les pois et les peaux. Ajouter le liquide de cuisson mis de côté. (Il faut enlever les peaux, afin que l'*hummus* soit homogène.) Jeter les peaux.

☐ Hacher l'ail écrasé avec une pincée de sel dans un mixeur à tranchant métallique, ajouter la purée de pois chiches et mélanger jusqu'à ce que la préparation soit homogène. Ajouter le jus de citron, le tahin et une pincée de cayenne, et faire une purée très fine. Si la purée est trop ferme, ajouter un peu de liquide de cuisson. Goûter. Verser dans une terrine, couvrir et conserver au réfrigérateur pendant cinq jours maximum.

☐ Pour servir, verser l'*hummus* dans un plat peu profond ou répartir dans de petites coupes individuelles, puis faire un creux au milieu avec le dos d'une cuiller. Hacher grossièrement les pois chiches mis de côté et les verser dessus. Si on le désire, on peut verser un peu d'huile d'olive dans le creux, et garnir avec les pois chiches hachés, le persil et un peu de poivre de Cayenne.

ARTICHAUTS À LA JUIVE

POUR 6 PERSONNES

Cette spécialité a été introduite à Rome par les Juifs au Moyen Âge. Elle se prépare avec de petits artichauts frais, sans foin. On trouve ces artichauts chez les marchands de légumes spécialisés et dans certains grands supermarchés. On peut également utiliser de gros artichauts, mais il faut enlever les feuilles extérieures dures et le foin, et couper soigneusement les queues.

- Jus de 2 ou 3 citrons
- 12 petits artichauts
- 125 ml d'huile d'olive
- 45 g de persil frais haché (à feuilles plates)
- 15 g de feuilles de basilic, hachées
- 1 cuil. à café de sel
- Poivre noir moulu
- 8 à 10 gousses d'ail épluchées et finement hachées
- Farine à matzot
- Huile pour la friture
- Persil frais ou feuilles de basilic pour garnir

☐ Verser le jus de citron dans un grand bol, ajouter de l'eau jusqu'à ce que le bol soit à moitié plein.

☐ Enlever toutes les feuilles extérieures dures ou flétries. Si nécessaire, couper les pointes avec un couteau affilé, éplucher les queues et les couper sur une longueur de 5 à 7,5 cm. Mettre les artichauts ainsi préparés dans de l'eau citronnée, afin qu'ils ne noircissent pas. Ajouter de l'eau si nécessaire.

☐ Mélanger huile d'olive, persil, basilic, sel, poivre et ail dans un petit bol. Verser 90 g de farine à matzot dans une assiette creuse et réserver.

☐ Bien égoutter les artichauts et les tamponner avec du papier absorbant. Prendre chaque artichaut par la queue et frapper la pointe sur le plan de travail pour que les feuilles s'écartent. Verser ensuite un peu d'huile d'olive et de mélange d'herbes entre les feuilles, puis rouler les artichauts dans la farine.

☐ Verser environ 3 ml d'huile dans une grande casserole ou dans une poêle à frire et faire chauffer sur feu moyen. Mettre les artichauts dans la poêle, couvrir, et faire cuire 25 à 30 minutes sur feu moyen ou doux jusqu'à ce qu'ils soient tendres et dorés. Servir à température ambiante. Verser goutte à goutte le liquide de cuisson ou un peu d'huile d'olive sur les artichauts et garnir avec du persil frais ou des feuilles de basilic.

HUMMUS

KNISCHES AU FROMAGE

POUR 24 KNISCHES

☐ Tamiser la farine dans une grande terrine, ajouter la levure chimique, le sel et le sucre. Verser dans un mixeur, ajouter le beurre et battre jusqu'à formation de petites miettes. Bien répartir la crème fraîche sur le mélange farine-beurre et continuer à battre jusqu'à obtention d'une pâte homogène. Veiller à ce qu'il n'y ait pas de grumeaux, sinon la pâte durcirait. Si la pâte est trop sèche, ajouter de l'eau froide, petit à petit.

☐ Poser la pâte sur un plan de travail légèrement fariné et pétrir doucement. Former une boule, l'aplatir, l'envelopper dans une feuille et la mettre au réfrigérateur pendant 2 heures ou toute la nuit. Laisser ramollir la pâte 15 minutes avant de l'étaler.

☐ Mettre tous les ingrédients de la farce dans une terrine et les mélanger soigneusement.

☐ Graisser deux grandes plaques. Couper la boule de pâte en deux, et travailler la pâte en deux fois. Abaisser la pâte sur 3 mm d'épaisseur, former un rectangle de 20 x 30 cm. Découper ensuite des carrés de 10 cm x 10 cm. Mettre un peu de farce sur chaque carré.

☐ Dorer les bords des carrés à l'œuf battu et placer le coin inférieur gauche sur le coin supérieur droit, afin de former un triangle. Bien aplatir les bords avec les dents d'une fourchette. Poser les triangles sur la plaque. Répéter l'opération avec le reste de pâte.

☐ Préchauffer le four (200 °C). Dorer la surface de chaque triangle à l'œuf battu et piquer avec une fourchette, afin que la vapeur puisse s'échapper. Passer au four une vingtaine de minutes. Laisser refroidir 15 minutes avant de servir.

Les *knisches*, ou petits chaussons fourrés, sont des pâtisseries variées, issues de la tradition ashkénaze. On les sert parfois avec une soupe ou en hors-d'œuvre, mais la tradition veut qu'on les savoure à l'occasion de Shavouoth, avec une farce au fromage. Les *knisches* peuvent également être fourrés avec des pommes de terre, du poulet et de la *kacha* (sarrasin). On peut employer diverses sortes de pâte, mais cette pâte à la crème fraîche, faite au mixeur, est la plus facile à préparer.

PÂTE

- 250 g de farine
- 1 cuil. à café de levure chimique
- 1/2 cuil. à café de sel
- 1 cuil. à café de sucre glace
- 125 g de beurre ou de margarine ferme, en petits morceaux
- 75 g de crème fraîche
- 1 œuf battu pour dorer

FARCE AU FROMAGE

- 250 g de fromage frais granulé
- 2 cuil. à soupe de crème fraîche
- 2 cuil. à soupe de farine à matzot
- 1 cuil. à soupe de sucre
- 1 cuil. à soupe de beurre fondu
- 2 œufs battus
- 45 g de raisins de Smyrne ou 1 cuil. à soupe de persil frais haché

CONSEILS

ON PEUT FAIRE DE PETITS *KNISCHES* EN DÉCOUPANT DE PETITS CERCLES DE PÂTE DE 7,5 CM DE DIAMÈTRE AVEC UN EMPORTE-PIÈCE, EN LES REPLIANT EN FORME DE CROISSANT SUR UNE CUILLERÉE À CAFÉ DE FARCE ET EN CONTINUANT COMME INDIQUÉ CI-DESSUS.

GARNITURE

FAIRE REVENIR 1 OIGNON FINEMENT HACHÉ DANS 15 G DE GRAISSE DE POULET, DE BEURRE OU DE MARGARINE ; AJOUTER 500 G DE POMMES DE TERRE ÉCRASÉES ET MÉLANGER. RETIRER DU FEU ET LAISSER REFROIDIR UN PEU. AJOUTER 1 ŒUF, DU SEL ET DU POIVRE. METTRE AU FRAIS AVANT DE SERVIR.

✡

POISSON MARINÉ À LA PÉRUVIENNE

POUR 4-6 PERSONNES

Ce plat de poisson très moderne, également connu sous le nom de ceviche, est très populaire chez les Juifs d'Amérique centrale et d'Amérique du Sud. On peut employer n'importe quel poisson blanc à chair ferme, mais aussi du saumon, de la truite saumonée ou des pétoncles coupés en fines lamelles. L'acidité du jus de citron et de la limette a le même effet que la chaleur : elle cuit le poisson.

- 1 kg de filets de sole, de flétan ou de daurade, ou n'importe quel mélange de poissons à chair ferme, non gras
- 250 g de jus de citron frais
- 250 g de jus de limette frais
- 2 piments rouges coupés en lamelles
- 2 oignons rouges émincés
- 1 à 2 gousses d'ail, épluchées et finement hachées
- Sel casher
- Poivre noir moulu
- Feuilles de coriandre fraîches pour garnir

☐ Couper les filets de poisson en bandes de 2,5 cm et les mettre dans un grand plat peu profond et non métallique.

☐ Mélanger les autres ingrédients, sauf la garniture, dans une grande terrine. Verser la marinade sur les morceaux de poisson, bien répartir. Mettre au réfrigérateur pendant au moins 3 heures ou jusqu'à ce que le poisson soit blanc et laiteux. (Ne pas faire mariner plus longtemps, sinon le poisson s'émietterait, car l'acidité transforme les protides.)

☐ Disposer quelques morceaux de poisson sur des assiettes individuelles avec des rondelles de piment et d'oignon, et décorer de feuilles de coriandre.

BORCHTCH AUX BETTERAVES ROUGES

POUR 6 PERSONNES

Il existe de nombreuses variantes du borchtch, mais la betterave rouge est toujours employée. Cette soupe existe dans toute l'Europe orientale et se consomme chaude ou froide. Elle peut être préparée et accompagnée ou non de viande de bœuf, avec ou sans légumes. Cette délicieuse purée couleur de rubis est servie avec une cuillerée de crème fraîche, de la ciboulette et du persil finement hachés, et un ou deux minuscules *pirojki* (voir page 17).

- 750 g de petites betteraves rouges avec leurs feuilles
- 1 oignon haché
- 900 ml de bouillon de bœuf, de poule, de légumes ou d'eau
- 1 cuil. à café de sel
- Poivre noir moulu
- 3 cuil. à soupe de jus de citron frais ou de vinaigre de cidre
- 2 cuil. à soupe de sucre brun
- Crème fraîche
- Ciboulette et aneth hachés pour garnir

☐ Couper les feuilles des betteraves rouges de façon à laisser 5 à 7,5 cm. Brosser minutieusement les betteraves sous l'eau froide pour enlever complètement la terre et le sable. Quand les feuilles sont fraîches et tendres, on peut aussi les utiliser après les avoir bien lavées.

☐ Mettre les betteraves rouges et les oignons hachés dans une grande marmite et les recouvrir de bouillon ou d'eau. Porter à ébullition, puis faire cuire 20 à 30 minutes en déplaçant légèrement le couvercle, jusqu'à ce que les betteraves soient tendres. Filtrer avec précaution le liquide à travers une passoire dans une grande terrine résistant à la chaleur puis laver la marmite.

☐ Sortir les betteraves rouges de la passoire et les éplucher. Les couper en quatre et les passer dans un mixeur à tranchant métallique avec les oignons (et, éventuellement, avec les feuilles).

☐ Remettre la purée de betteraves rouges et d'oignons dans la marmite lavée, verser dessus le liquide de cuisson mis de côté. Veiller à ce que la terre et le sable qui pourraient se trouver au fond restent dans le récipient.

☐ Faire cuire la soupe sur feu moyen. Assaisonner avec le sel, le poivre, le jus de citron ou le vinaigre de cidre et le sucre brun. Faire cuire 5 minutes et servir chaud, avec une cuillerée de crème fraîche. Garnir avec de la ciboulette et de l'aneth frais. Cette soupe peut être mise au frais et servie froide.

> **CONSEIL**
>
> QUAND LA SOUPE EST SERVIE FROIDE, L'ASSAISONNER ET AJOUTER UN PEU D'EAU AVANT DE SERVIR, SI NÉCESSAIRE.

SOUPE AU CHOU AIGRE-DOUCE

POUR 8 PERSONNES

La combinaison aigre-douce est très appréciée dans la cuisine juive d'Europe orientale. C'est peut-être la raison pour laquelle les Juifs aiment tant cette saveur dans la cuisine chinoise !

- 1 kg de poitrine de bœuf
- 1 os à moelle (facultatif)
- 2 oignons hachés
- 2 carottes finement hachées
- 2 grosses tomates pelées, épépinées et hachées
- 1 petit chou, coupé en quatre,
- sans trognon et finement râpé
- 90 g de raisins secs
- Jus de 2 citrons
- 60 g de sucre roux
- Sel
- Poivre noir moulu

☐ Mettre la viande de bœuf (et éventuellement l'os à moelle) avec 2 l d'eau dans une grande marmite. Porter à ébullition. Écumer et laisser cuire 5 minutes. Écumer encore, si nécessaire. Réduire la température et laisser mijoter 1 heure.

☐ Ajouter les oignons hachés, les carottes et les tomates coupées en petits morceaux et laisser cuire au moins 1 heure jusqu'à ce que la viande soit tendre. Retirer la viande et l'os.

☐ Ajouter le chou coupé et les raisins secs dans la soupe. Couvrir et laisser mijoter 20 à 30 minutes jusqu'à ce que le chou soit tendre. Ajouter un peu d'eau si la soupe est trop épaisse.

☐ Entre-temps, couper la viande en petits morceaux. Jeter l'os à moelle. Incorporer les morceaux de viande, le jus de citron, le sucre, le sel et le poivre à la soupe. Assaisonner. Laisser mijoter encore 10 minutes et servir chaud.

BORCHTCH AUX BETTERAVES ROUGES

SOUPE AUX CHAMPIGNONS ET À L'ORGE

POUR 8 PERSONNES

Les forêts humides d'Europe orientale regorgent de champignons sauvages, ce qui explique pourquoi cette soupe est l'un des plats préférés des Juifs originaires de ces pays. Cette soupe est généralement faite à base de bouillon de bœuf, mais il existe une variante végétarienne. Dans les deux cas, la soupe est nourrissante. Elle est épaissie avec de l'orge et les champignons lui donnent sa saveur. On peut ajouter une pincée d'aneth.

- 60 g de champignons séchés (voir remarque)
- 1 cuil. à soupe d'huile végétale
- 1 oignon finement haché
- 2 carottes finement hachées
- 1 petit navet épluché et haché finement
- 500 g de champignons de couche, hachés
- 250 g d'orge perlé
- 1 cuil. à café de sel
- Poivre noir moulu
- Aneth frais haché pour garnir

☐ Mettre les champignons séchés dans un petit bol. Les recouvrir d'eau chaude et les laisser tremper 20 minutes (ou suivre les indications sur l'emballage.)

☐ Entre-temps, faire chauffer l'huile dans une grande casserole. Faire revenir l'oignon pendant 3 à 5 minutes. Ajouter les carottes, le navet, les champignons et l'orge perlé. Recouvrir les légumes avec de l'eau froide.

☐ Porter à ébullition. Écumer, réduire la température et laisser mijoter 30 à 35 minutes jusqu'à ce que les légumes soient tendres. Ajouter de l'eau si nécessaire.

☐ Sortir délicatement les champignons de l'eau avec une écumoire. Ne pas verser l'eau de cuisson dessus, car il pourrait y avoir du sable. Émincer les champignons et les verser dans la soupe.

☐ Garnir une passoire avec une mousseline, filtrer l'eau dans laquelle les champignons ont trempé et l'ajouter à la soupe. Laisser cuire 20 à 30 minutes pour que les saveurs se mêlent. Servir chaud avec de l'aneth frais haché.

REMARQUE

NE PAS EMPLOYER DES CHAMPIGNONS SÉCHÉS CHINOIS OU JAPONAIS, MAIS DES CÈPES SÉCHÉS. ON LES TROUVE GÉNÉRALEMENT DANS LES ÉPICERIES FINES OU DANS LES RAYONS DE PRODUITS FINS DES SUPERMARCHÉS BIEN APPROVISIONNÉS. LEUR SAVEUR EST PLUS INTENSE QUE CELLE DES CHAMPIGNONS FRAIS.

SOUPE DE LENTILLES

POUR 8 PERSONNES

L'Ancien Testament dit qu'Ésaü a vendu son droit d'aînesse pour une soupe de lentilles. Ceci est peut-être exagéré, mais cette soupe est très populaire en Israël et est servie l'hiver dans toute l'Europe orientale, parce que c'est un plat qui réchauffe. On utilisera si possible des lentilles brunes, parce qu'il n'est pas nécessaire de les faire tremper et parce qu'elles ont une belle couleur intense qui aiguise l'appétit. Pour que la soupe soit *pareve*, on utilisera de l'huile végétale ou du bouillon de légumes.

- 2 cuil. à soupe de graisse de poulet
- 2 oignons finement hachés
- 2 branches de céleri finement hachées
- 2 carottes finement hachées
- 350 g de lentilles rouges ou brunes (faire tremper les lentilles brunes
- conformément au mode d'emploi)
- 2 l de bouillon de bœuf ou d'eau
- Sel
- Poivre noir moulu
- 1 cuil. à café de muscade en poudre ou de clous de girofle en poudre
- Persil frais haché pour décorer

☐ Faire fondre la graisse de poulet dans une grande marmite, sur feu moyen. Ajouter les oignons et les faire revenir 2 à 3 minutes. Incorporer le céleri, les carottes et les lentilles. Verser le bouillon de bœuf et suffisamment d'eau pour que les légumes soient bien recouverts.

☐ Porter à ébullition et écumer. Réduire la température, couvrir et laisser mijoter 45 à 50 minutes jusqu'à ce que les légumes et les lentilles soient à point. Ajouter de l'eau si nécessaire. (Il est possible que les lentilles brunes aient besoin d'un temps de cuisson plus long.)

☐ Mettre la moitié de la soupe dans un mixeur. Réduire en purée. Verser la purée dans la soupe. Saler, poivrer et ajouter la muscade ou les clous de girofle. Garnir avec du persil haché. Servir chaud.

SOUPE DE POULET AUX BOULETTES DE MATZOT

POUR 8–10 PERSONNES

Le bouillon de poulet est considéré comme la « pénicilline juive », car les mères juives sont convaincues qu'il guérit toutes les maladies ! Cette soupe simple est préparée dans le monde entier et les épices utilisées reflètent sa région d'origine.
Les boulettes de matzot sont l'une des garnitures les plus populaires, mais on peut également consommer la soupe avec des pâtes, du riz, de minuscules morceaux de matzot ou encore des kreplach.

- 1 gros poulet d'env. 2,5 kg, coupé en quatre (demandez à votre boucher de vous donner les abats, le cou et les pattes, mais pas le foie)
- 3 carottes coupées en morceaux
- 2 oignons moyens, grossièrement coupés (réserver quelques peaux)
- 2 branches de céleri
- 3 poireaux coupés en morceaux et bien lavés
- 1 tomate bien mûre, coupée en quatre et épépinée
- 2 gousses d'ail épluchées
- 2 cubes de bouillon de poulet (facultatif)
- 1 cuil. à soupe de grains de poivre noir
- 1 cuil. à café de sel

- Les tiges d'un petit bouquet de persil frais
- Persil frais haché pour garnir

BOULETTES DE MATZOT (KNEIDLACH)
- 125 g de farine à matzot moyenne
- 1/2 cuil. à café de sel
- 1/2 cuil. à café de poivre noir moulu
- 1/4 de cuil. à café de gingembre moulu
- 1/4 de cuil. à café de cannelle moulue
- 250 ml d'eau chaude
- 2 cuil. à soupe d'amandes émondées, finement moulues
- 2 cuil. à soupe de graisse de poulet ou de margarine ramollie
- 1 œuf légèrement battu

☐ Enlever la graisse superflue de l'intérieur et de la peau du poulet (la graisse peut être jetée ou conservée pour faire du *schmaltz*, voir page 14). Enlever les particules jaunes ou vertes des abats. Mettre les morceaux de poulet, les abats, le cou et les pattes dans une grande terrine. Couvrir d'eau chaude puis égoutter. Gratter la peau dure des pattes.

☐ Mettre les morceaux de poulet, le cou et les pattes dans une grande marmite et couvrir d'eau froide. Porter à ébullition puis écumer. Ajouter les abats et les autres ingrédients pour la soupe, sauf le persil haché, et porter à ébullition. Écumer. Mettre à petit feu et laisser mijoter environ 3 heures.

☐ Passer la soupe à travers une grande passoire résistant à la chaleur. Mettre de côté les morceaux de poulet et les abats. Laisser refroidir la soupe, la recouvrir et la mettre au réfrigérateur pendant toute une nuit. Détacher la viande des os de poulet et la couper en petits morceaux. Couper les abats en petits morceaux et les incorporer à la viande. Recouvrir et mettre au réfrigérateur pendant toute une nuit.

☐ Préparer des boulettes de matzot. Mélanger la farine à matzot, le sel, le poivre, le gingembre et la cannelle dans une grande terrine. Verser de l'eau chaude et mélanger. Ajouter les amandes finement moulues, la graisse de poulet ou la margarine ramollie et l'œuf battu. Mélanger et mettre au frais au moins 2 heures.

☐ Pour servir, sortir la soupe froide du réfrigérateur et enlever délicatement la graisse refroidie à la surface. Mettre la soupe dans une grande marmite, ajouter la viande et les abats coupés en morceaux et porter à ébullition.

☐ Sortir du réfrigérateur la pâte pour les boulettes de matzot. Former de petites boulettes de 2,5 cm de diamètre avec des mains humides. Mettre les boulettes dans la soupe chaude et les laisser mijoter 20 à 30 minutes jusqu'à ce qu'elles gonflent et remontent à la surface. Ne pas laisser bouillir la soupe, sinon les boulettes s'émietteraient.

☐ Parsemer le persil haché dans la soupe et servir aussitôt.

STAND AVEC FRUITS ET LÉGUMES À MINORQUE (ESPAGNE)

SOUPE ITALIENNE AUX HARICOTS ET AUX PÂTES

POUR 6 PERSONNES

Les soupes de haricots sont très populaires dans la plupart des communautés juives. Les Ashkénazes et les Séfarades emploient des épices différentes, mais ces délicieuses préparations sont toujours les bienvenues comme premier plat ou comme collation.

- 215 g de haricots blancs secs ou de haricots cannellini, trempés pendant au moins 8 heures
- 2 cuil. à soupe d'huile d'olive
- 1 oignon finement haché
- 1 branche de céleri finement hachée
- 1 carotte finement hachée
- 500 g de tomates fraîches, épluchées, épépinées et hachées, ou 2 boîtes de tomates de 425 g, égouttées et hachées
- 3 ou 4 gousses d'ail écrasées

- 2 cubes de bouillon de poulet ou de légumes
- 2 feuilles de laurier
- 2 cuil. à café de romarin séché
- 1 cuil. à café de sauge séchée
- 125 g de petites pâtes à potage (coquillettes, etc.)
- 3 cuil. à soupe de persil frais haché
- 3 cuil. à soupe de basilic frais haché
- Sel
- Poivre noir moulu
- Feuilles de basilic frais pour garnir

☐ Jeter l'eau dans laquelle les haricots ont trempé et faire cuire ces derniers avec 900 ml d'eau dans une grande marmite. Porter à ébullition. Écumer, réduire la température et laisser mijoter 1 heure à 1 heure et demie, jusqu'à ce que les haricots soient tendres. Ajouter suffisamment d'eau pour que les haricots restent recouverts. Retirer du feu.

☐ Faire chauffer l'huile d'olive dans une deuxième grande marmite, sur feu moyen. Faire revenir les oignons 4 à 5 minutes. Ajouter le céleri en branches et les carottes hachées ; laisser mijoter 4 à 5 minutes. Incorporer les tomates hachées, l'ail, les cubes de bouillon, les feuilles de laurier et la sauge puis porter à ébullition.

☐ Laisser mijoter à découvert environ 5 minutes jusqu'à ce que les légumes soient à point. Ajouter les haricots cuits et 900 ml de liquide de cuisson (ajouter de l'eau si nécessaire).

☐ Porter la soupe à ébullition, ajouter les pâtes et laisser cuire à découvert 8 à 10 minutes jusqu'à ce que les pâtes soient à point. Incorporer le persil et le basilic hachés, mélanger, saler, poivrer. Garnir chaque assiette avec une feuille de basilic frais.

CHTCHI

POUR 8 PERSONNES

Le chtchi est un potage russe à l'oseille que l'on sert généralement froid. Il est souvent difficile de se procurer de l'oseille quand on n'en a pas dans son propre jardin, mais on peut facilement la remplacer par de petites feuilles d'épinards, bien que celles-ci n'aient pas l'acidité des feuilles d'oseille. Autrefois, cette soupe était souvent servie à l'occasion de Shavouoth.

- 500 g de feuilles d'oseille ou de petites feuilles d'épinards, bien lavées et grossièrement hachées
- 1 bouquet de cresson haché
- 1 oignon haché
- 1 branche de céleri, finement hachée

- 2 l de bouillon de légumes (facultatif)
- 1 jus et 1 zeste de citron
- 2 à 3 cuil. à soupe de sucre
- Sel
- Poivre noir moulu
- Crème fraîche et brins d'aneth frais pour garnir

☐ Mettre l'oseille ou les épinards, le cresson, l'oignon et le céleri dans une grande marmite ; ajouter 2 l de bouillon de légumes ou d'eau. Porter à ébullition, découvrir à moitié et laisser mijoter 20 minutes jusqu'à ce que le cresson soit cuit. Laisser refroidir un peu.

☐ Passer la soupe à la moulinette ou au mixeur. Reverser dans la marmite et ajouter le jus et le zeste de citron, le sucre, le sel et le poivre. Verser dans une terrine non métallique et laisser refroidir. Mettre au réfrigérateur au moins 3 à 4 heures avant de servir.

☐ Servir le chtchi dans des assiettes creuses refroidies à l'avance, garnir avec de la crème fraîche et des brins d'aneth.

SOUPE ITALIENNE AUX HARICOTS ET AUX PÂTES

PLATS D'ŒUFS, BLINTZES ET CRÊPES

HAMINADOS

ŒUFS AUX OIGNONS

ŒUFS BROUILLÉS AU SAUMON FUMÉ

PURÉE DE MATZOT

TOASTS FRANÇAIS AVEC HALLAH À L'ORANGE

BLINIS AU SAUMON FUMÉ ET À LA CRÈME FRAÎCHE

BLINTZES AU FROMAGE BLANC ET AUX FRAISES

CRÊPES PERSANES AU YAOURT

✡

HAMINADOS

POUR 8 PERSONNES

Ces œufs cuits lentement sont un plat séfarade typique de la Pessah. Ils sont parfois cuits dans un ragoût, comme l'*hamin* ou la *dfina*, mais on peut facilement les préparer seuls. On les sert en hors-d'œuvre, coupés en tranches, avec de la salade ou de l'*hummus*, à l'occasion d'un pique-nique ou d'un barbecue. On frotte les œufs avec des pelures d'oignon pour leur donner une couleur brun doré.

- 8 gros œufs
- Pelures de 8 oignons
- 1 cuil. à café de sel
- 2 cuil. à soupe d'huile d'olive
- 1/2 cuil. à café de poivre noir moulu
- *Hummus* (voir page 24)

☐ Préchauffer le four (180 °C). Mettre tous les ingrédients, sauf l'*hummus*, dans une cocotte résistant à la chaleur et recouvrir d'eau. Bien fermer la cocotte et la mettre au four. Réduire immédiatement la température (env. 100 °C) et laisser cuire 6 à 8 heures ou pendant toute la nuit.

☐ Jeter l'eau et passer les œufs sous l'eau froide. On peut les servir chauds ou frais, avec un peu d'*hummus*.

ŒUFS AUX OIGNONS

POUR 6 PERSONNES

Ce simple plat aux œufs est un hors-d'œuvre très populaire, surtout parmi les Juifs anglais. On le sert également dans un sandwich ou avec du foie haché. Un petit mélange des deux constitue un hors-d'œuvre simple, facile à préparer pour le dîner, le jour du sabbat. Ce mets peut être réalisé avec des oignons crus ou cuits ou encore avec de petits oignons blancs, qui sont plus doux. Ce plat est savoureux avec du pain de seigle ou du pain noir.

- 1 gros oignon, coupé en quatre
- 8 œufs durs coupés en quatre
- 2 à 3 cuil. à soupe de graisse de poulet ou de margarine ramollie
- Sel
- Poivre noir moulu
- Persil frais pour garnir

☐ Hacher finement les oignons dans un mixeur. Remplacer le tranchant métallique par un tranchant plastique et ajouter les œufs coupés en quatre, la graisse de poule ou la margarine. Hacher grossièrement les ingrédients ; bien mélanger. Ne pas hacher trop longuement. Ajouter sel et poivre, broyer encore 2 à 3 secondes.

☐ Disposer sur un plat de service et mettre au frais jusqu'au moment de servir. Garnir de persil.

CONSEIL
SERVEZ LES ŒUFS AVEC DES LAMELLES DE SAUMON FUMÉ.

FILLETTE AIDANT DANS LES CHAMPS DE L'UN DES NOMBREUX KIBBOUTZIM, EN ISRAËL

ŒUFS BROUILLÉS AU SAUMON FUMÉ

POUR 4 PERSONNES

Ce plat est volontiers servi pour le brunch, car il peut être préparé à l'avance et cuit au dernier moment. Il est souvent possible d'acheter du saumon fumé à un prix avantageux et il n'en faut pas beaucoup pour préparer ce mets. On peut aussi le remplacer par d'autres poissons fumés comme le hareng, l'esturgeon ou l'aiglefin.

- 60 g de beurre ou de margarine
- 1 gros oignon coupé en deux, puis en rondelles fines
- 10 gros œufs
- Sel
- Poivre noir moulu
- 250 g de saumon fumé en tranches
- Persil frais pour garnir

☐ Faire fondre 30 g de beurre ou de margarine dans une grande poêle, sur feu moyen ou doux. Faire revenir les oignons 8 à 10 minutes.

☐ Battre les œufs, le sel et le poivre dans une grande terrine jusqu'à ce que le mélange soit mousseux. Faire fondre le reste de beurre ou de margarine dans la poêle avec les oignons et verser les œufs par-dessus. Réduire la température et faire prendre les œufs sans cesser de remuer.

☐ Lorsque les œufs sont presque pris, incorporer délicatement le saumon fumé. Garnir de persil et servir aussitôt.

PURÉE DE MATZOT

La purée de matzot est un laitage casher pour Pessah. Elle est facile et rapide à préparer, et les enfants l'apprécient beaucoup. On la sert avec de la compote de pommes et de la crème fraîche.

- 2 matzot
- 125 ml de lait ou d'eau
- 2 œufs battus
- Sel
- Poivre noir moulu
- 1/4 de cuil. à café de cannelle moulue (facultatif)
- 30 g de beurre ou de margarine neutre
- Sucre et cannelle pour saupoudrer
- Compote de pommes et crème fraîche

☐ Couper les matzot en petits morceaux et les mettre dans un grand compotier peu profond. Verser dessus le lait ou l'eau et laisser reposer 5 minutes environ jusqu'à ce que les matzot aient bu le lait.

☐ Incorporer les œufs, le sel, le poivre et éventuellement la cannelle.

☐ Faire fondre le beurre ou la margarine dans une poêle, sur feu moyen. Y verser le mélange œufs-matzot et couvrir. Faire cuire 10 minutes jusqu'à ce que le dessous soit doré. Retourner délicatement avec une spatule et laisser cuire encore 3 minutes. Couper en parts que l'on servira, saupoudrées de sucre et de cannelle, avec de la compote de pommes et de la crème fraîche.

TOASTS FRANÇAIS AVEC HALLAH À L'ORANGE

POUR 6 PERSONNES

**La *hallah* doit être coupée en morceaux assez épais et trempée dans le mélange à base d'œufs, pour que l'extérieur soit doré et croustillant et l'intérieur moelleux.
Servir avec du sirop d'érable ou saupoudrer de sucre glace.**

- 4 œufs bien battus
- 1/2 cuil. à café de sel
- 2 cuil. à soupe de sucre
- 250 ml de jus d'orange
- 1/2 cuil. à café d'extrait de vanille
- 125 à 250 ml de lait
- 12 tranches de *hallah* (voir page 126) d'environ

- 2 cm d'épaisseur
- Beurre fondu pour faire dorer
- Sirop d'érable ou sucre glace
- Quartiers d'orange pour garnir (facultatif)

☐ Mélanger les œufs, le sel, le sucre, le jus d'orange, la vanille et 125 ml de lait dans un grand plat peu profond. (Si les tranches de pain sont grosses, il faudra peut-être un peu plus de lait.)

☐ Mettre les tranches de pain dans le mélange à base d'œufs et les laisser tremper 2 minutes. Retourner les tranches de pain et les laisser tremper encore 5 minutes jusqu'à ce que le pain soit bien imbibé.

☐ Faire fondre 45 g de beurre dans une grande poêle, sur feu moyen. Y déposer les tranches de pains trempées et les faire cuire 3 à 5 minutes jusqu'à ce que le dessous soit bien doré. Retourner les tranches de pain avec une spatule et laisser dorer encore 1 à 2 minutes.

☐ Servir aussitôt avec du sirop d'érable ou du sucre glace. Garnir avec des quartiers d'orange.

BLINIS AU SAUMON FUMÉ ET À LA CRÈME FRAÎCHE

POUR 6 PERSONNES

Les blinis sont des crêpes russes faites avec de la farine de sarrasin. Elles ont un goût de noix, qui est mis en valeur par le saumon fumé et la crème fraîche. On peut servir les blinis plus simplement, avec des radis hachés et des concombres, de petits oignons de printemps et des câpres. Les blinis sont parfaits pour un brunch, un déjeuner ou un dîner léger.

- 60 ml d'eau tiède
- 1 1/2 cuil. à café de levure chimique
- 60 g de farine
- 90 g de farine de sarrasin
- 1/2 cuil. à café de sel
- 250 ml de lait
- 2 œufs, blancs et jaunes séparés
- 60 g de beurre ou de margarine
- 4 oignons de printemps coupés en rondelles, en diagonale
- 125 ml de crème fraîche
- Petits morceaux de ciboulette pour garnir

- 2 cuil. à soupe de crème fraîche
- 125 g de saumon fumé coupé en tranches minces

CONSEIL

LES BLINIS PEUVENT ÉGALEMENT ÊTRE FAITS AVEC DE LA FARINE DE FROMENT, MAIS SONT BIEN MEILLEURS SI L'ON EMPLOIE DE LA FARINE DE SARRASIN. ON EN TROUVE DANS LES MAGASINS DE PRODUITS NATURELS OU DANS LES GRANDS SUPERMARCHÉS.

☐ Verser l'eau chaude dans un petit bol et y jeter la levure. Laisser reposer 5 minutes jusqu'à ce que la levure fasse des bulles.

☐ Passer la farine et la farine de sarrasin avec le sel au-dessus d'une grande terrine et faire un creux au milieu. Verser dans ce creux 190 ml de lait tiède avec le mélange de levure et d'eau. Mélanger peu à peu la masse avec un fouet, afin d'obtenir une pâte homogène. Couvrir la terrine avec un torchon propre et tenir 3 heures au chaud jusqu'à ce que la pâte soit légère et fasse des bulles.

☐ Mélanger le lait restant à la pâte, incorporer les jaunes d'œufs battus, la moitié du beurre fondu et la crème fraîche.

☐ Battre les blancs en neige pas trop ferme dans une autre terrine et les incorporer délicatement à la pâte à blinis. (Ne pas mélanger trop vivement, les traces blanches disparaîtront pendant la cuisson.)

☐ Faire fondre le reste de beurre dans une grande poêle, sur feu moyen ou vif. Verser la pâte dans la poêle avec une louche, de façon à former de petites crêpes. Les faire cuire 2 minutes environ jusqu'à ce que le dessous soit doré. Retourner les blinis et les laisser cuire encore 1 à 2 minutes. Procéder de la même manière avec le reste de pâte, ajouter un peu de beurre dans la poêle si nécessaire. (Conserver éventuellement les blinis au chaud dans le four préchauffé à 150 °C.)

☐ Disposer les blinis sur des assiettes individuelles ou sur un plat de service. Répartir le saumon fumé sur les blinis, les décorer avec quelques rondelles d'oignons de printemps ciboule et une cuillerée de crème fraîche. Parsemer de ciboulette et servir chaud.

BLINIS AU SAUMON FUMÉ ET À LA CRÈME FRAÎCHE

BLINTZES AU FROMAGE BLANC ET AUX FRAISES

POUR 6–8 PERSONNES

Les *blintzen* sont le symbole de la cuisine juive dans le monde entier ; leur nom vient du mot yiddish signifiant crêpe. Les blintzen sont de simples crêpes fourrées avec du fromage blanc ou des fruits, ou encore des pommes de terre, des champignons, du foie de volaille, du chou ou de la viande. Dans les restaurants juifs, les blintzen fourrées avec du fromage frais et des fruits sont un plat standard ; c'est également un plat à base de lait, idéal pour Pessah, Shavouoth ou n'importe quel autre jour.

- 3 gros œufs
- 1/2 cuil. à café de sel
- 1/2 cuil. à café de sucre
- 30 g de beurre ou de margarine fondus
- 375 g de lait ou d'eau
- 75 g de farine
- Beurre ou margarine fondus pour faire cuire ou frire

GARNITURE
- 500 g de fromage cottage
- 175 g de fromage frais battu
- 60 g de sucre
- 1 cuil. à café d'extrait de vanille
- 500 g de fraises (fraîches ou décongelées)
- Sucre
- Jus et zeste de 1 citron

☐ Bien mélanger les œufs, le sel, le sucre, le beurre fondu ou la margarine et le lait ou l'eau dans une grande terrine.

☐ Tamiser la farine au-dessus d'une terrine et faire un puits. Verser lentement le mélange à base d'œufs dans le puits et battre le tout avec un fouet. Continuer à mélanger jusqu'à ce que la pâte soit homogène. Recouvrir et mettre au frais 1 heure environ. (Si la pâte est trop épaisse, ajouter un peu de lait ou d'eau.)

☐ Chauffer une poêle à crêpes ou à frire sur feu moyen. Y mettre un peu de beurre fondu. Verser 3 à 4 cuillerées à soupe de pâte dans la poêle, tourner la poêle dans tous les sens, afin que le fond soit recouvert de pâte. Faire cuire 2 minutes environ jusqu'à ce que la surface soit ferme et le dessous doré. Détacher les bords avec une spatule, retourner la crêpe et la faire cuire encore 10 secondes. Faire glisser les *blintzes* sur du papier sulfurisé. Répéter l'opération jusqu'à ce que la pâte soit épuisée, et empiler les crêpes, en intercalant des feuilles de papier sulfurisé. (On peut consommer les *blintzes* aussitôt, les conserver au réfrigérateur ou les congeler.)

☐ Préchauffer le four (180 °C). Graisser un moule métallique rectangulaire d'environ 37,5 x 25 cm avec du beurre ou de la margarine.

☐ Préparer la garniture. Passer le fromage cottage, le fromage frais, le sucre et la vanille au mixeur de façon à obtenir une pâte homogène.

☐ Mettre une bonne cuillerée à soupe de mélange de fromage au milieu de chaque crêpe. Rouler les *blintzes* sur elles-mêmes. Les déposer côte à côte dans un moule beurré, badigeonner chaque crêpe avec un peu de beurre et passer au four 10 minutes.

☐ Nettoyer les fraises. Couper 6 à 8 fraises dans le sens de la longueur et les mettre de côté. Faire un coulis avec la moitié des fraises restantes, un peu de sucre, de jus de citron et de zeste de citron. Couper les fraises restantes en petits morceaux et les incorporer à la purée. Ajouter du sucre si nécessaire.

☐ Pour servir, poser deux *blintzes* sur une assiette. Les napper de coulis de fraises et garnir avec deux moitiés de fraise.

> ### REMARQUE
> POUR PESSAH, LA PÂTE DES BLINTZES PEUT ÊTRE FAITE AVEC DE LA FÉCULE DE POMME DE TERRE ET DE L'EAU. LE MÉLANGE EST UN PEU PLUS LIQUIDE ET LES BLINTZES SONT PLUS CROUSTILLANTES.

CRÊPES PERSANES AU YAOURT

POUR 4 PERSONNES

Ces délicieuses crêpes « vertes », qui ressemblent à des beignets,
viennent de la région frontalière, entre le Pakistan et l'Iran.
On les mange simplement avec du yaourt ou du fromage frais,
ou encore en accompagnement d'un curry bien relevé.

- 400 g d'épinards, bettes ou cresson, hachés
- 2 gros brins de coriandre, 2 de persil et 2 d'aneth
- 2 petits poireaux ou 4 beaux oignons de printemps, coupés en rondelles minces
- 6 œufs battus
- Sel
- Poivre noir moulu
- 1/4 de cuil. à café de muscade moulue
- 125 g de farine à matzot
- Graisse végétale pour la friture
- Yaourt, crème fraîche ou fromage frais
- Coriandre ou aneth pour garnir

☐ Passer les épinards, les bettes ou le cresson avec les fines herbes, le poireau ou les oignons de printemps dans un mixeur à tranchant métallique jusqu'à obtention d'une purée homogène. Verser dans une grande terrine. Ajouter les œufs battus, le sel, le poivre et la muscade. Incorporer délicatement la farine à matzot. La pâte doit être épaisse.

☐ Faire chauffer 2 cuillerées à soupe d'huile dans une grande poêle, sur feu vif. Verser la pâte, cuillerée par cuillerée, dans la poêle et laisser cuire environ 2 minutes jusqu'à ce que le dessous doit doré ; retourner la crêpe et faire cuire l'autre face 2 minutes. Égoutter sur du papier absorbant et tenir au chaud. Répéter l'opération jusqu'à ce que la pâte soit épuisée. Ajouter de l'huile dans la poêle si nécessaire. Tenir les crêpes au chaud dans le four (150 °C) jusqu'à ce qu'il n'y ait plus de pâte. Servir chaud avec du yaourt, de la crème fraîche ou du fromage frais et garnir avec de la coriandre ou de l'aneth.

Viandes et volailles

Poulet rôti épicé aux matzots

Oie rôtie fourrée aux fruits

Poulet grillé aux épices

Poulet aux noix et aux grenades

Canard rôti à l'israélienne

Poussins à la nord-africaine

Poulet au piment à la cochinoise

Escalopes de dinde aux épices

Poulet à l'indienne

Seniyeh

Langue de bœuf à la sauce aigre-douce

Tzimmes de bœuf à la mexicaine

Hamin

Chou farci aigres-doux

Viande braisée traditionnelle à la sauce à l'oignon

Tcholent

Chachlik

Agneau farci de Pessah

POULET RÔTI ÉPICÉ FARCI AUX MATZOTS

POUR 4 PERSONNES

Cette farce aux matzots est généralement préparée à l'occasion de Pessah, mais elle est si bonne qu'on peut la servir à tout autre moment. Le cumin et le curcuma donnent au poulet une saveur très intéressante.

FARCE AUX MATZOTS
- 2 à 3 matzots
- 125 ml de bouillon de poulet ou d'eau chaude
- 1 cuil. à soupe d'huile d'olive ou d'huile végétale
- 1 gros oignon haché
- 2 branches de céleri, finement hachées
- Sel
- Poivre noir moulu
- 1/2 cuil. à café de cumin (facultatif)
- 1/4 cuil. à café de curcuma (facultatif)

- 1 cuil. à soupe de persil frais haché
- 1 œuf battu

- 1 poulet de 1,6 à 1,8 kg
- 1 citron coupé en deux
- Sel
- Poivre noir moulu
- 1 cuil. à café de cumin moulu
- 1/4 cuil. à café de curcuma moulu
- 1 cuil. à soupe d'huile d'olive
- 1 oignon coupé en minces rondelles
- Persil frais pour garnir

☐ Préparer la farce. Mettre les matzots en petits morceaux dans une grande terrine. Verser dessus le bouillon de poulet ou l'eau chaude et laisser reposer jusqu'à ce que le liquide ait été absorbé.

☐ Faire chauffer l'huile dans une grande poêle, sur feu moyen. Faire revenir l'oignon et le céleri 3 à 4 minutes. Saler et poivrer à volonté, ajouter du cumin et du curcuma si on le désire. Laisser cuire 4 à 5 minutes sans cesser de remuer jusqu'à ce que le mélange prenne une belle couleur dorée. Ajouter les morceaux de matzots ramollis, retirer du feu et laisser refroidir. Ajouter le persil haché et l'œuf battu.

☐ Préchauffer le four (200 °C). Enlever toute la graisse superflue du poulet, à l'intérieur comme à l'extérieur. Passer sous l'eau froide et sécher avec du papier absorbant. Bien frictionner l'extérieur du poulet avec une moitié de citron, presser l'autre moitié du citron à l'intérieur. Saler et poivrer, assaisonner avec du cumin et du curcuma. Frotter avec de l'huile d'olive.

☐ Introduire la farce dans le poulet avec une cuiller et, si nécessaire, fermer l'ouverture avec des brochettes ou des cure-dents. Mettre les rondelles d'oignon dans un grand plat à rôtir et poser le poulet dessus. Faire cuire environ 1 heure et demie et arroser de temps en temps avec le jus de viande. À mi-cuisson, ajouter 125 à 250 ml d'eau pour dégraisser. Le poulet est à point quand un jus incolore s'écoule de la cuisse quand on la pique avec la pointe d'un couteau.

☐ Poser le poulet sur une planche, le recouvrir avec du papier sulfurisé. Laisser reposer 10 à 15 minutes au chaud.

☐ Verser le jus de viande et l'oignon dans une petite casserole. Porter à ébullition, laisser réduire un peu, écumer. Verser dans une saucière. Disposer le poulet sur un plat de service, garnir avec du persil. La farce peut être servie à part, dans un petit bol, pour faciliter le service.

OIE RÔTIE FOURRÉE AUX FRUITS

POUR 6–8 PERSONNES

Au XVIᵉ siècle, l'oie jouait un si grand rôle dans la cuisine juive que les Allemands l'appelaient « l'oiseau des Juifs ». On mangeait la viande et on recueillait la graisse pour faire cuire les aliments. On faisait du pâté de foie et on vendait les plumes et le duvet. Israël est actuellement l'un des principaux producteurs d'oies et de pâté de foie au monde. En Europe du nord, l'oie est souvent fourrée avec des pommes ou avec une farce aux pommes. Cette farce au goût de fruit peut aussi être cuite séparément ; on peut accompagner ce plat avec des pommes de terre rôties (dans de la graisse d'oie, évidemment !).

- 1 jeune oie de 3,6 à 4,5 kg, décongelée nécessaire
- Sel
- Poivre noir moulu
- 1 cuil. à soupe d'huile végétale
- 1 gros oignon haché
- 6 à 8 pommes acidulées, épluchées, épépinées et coupées en lamelles
- 90 g de raisins secs
- 100 g d'abricots secs hachés

- 215 g de pruneaux hachés
- 1 boîte de 425 g de châtaignes cuites, épluchées et égouttées
- 1/2 cuil. à café de sauge séchée et émiettée
- 1 cuil. à café de persil frais haché
- 1 cuil. à café d'arrow-root
- 125 ml de jus de pomme
- 1 cuil. à soupe de vinaigre de cidre
- Cresson ou petits morceaux de pomme pour garnir

☐ Enlever toute la graisse superflue à l'intérieur et à l'extérieur de l'oie (la jeter ou la faire fondre pour un usage ultérieur). Couper les morceaux de peau grasse, près de la queue. Saler et poivrer la peau et l'intérieur de l'oie. Piquer la peau de l'oie avec une fourchette, afin que la graisse puisse s'écouler pendant la cuisson.

☐ Faire chauffer l'huile végétale dans une grande poêle, sur feu moyen ou vif. Faire revenir l'oignon 4 à 5 minutes. Ajouter les pommes, les raisins secs, les pruneaux, les abricots et les châtaignes ; parsemer de sauge et de persil. Ajouter 2 cuillerées à soupe d'eau et faire cuire 2 à 3 minutes jusqu'à ce que le liquide se soit évaporé. Retirer du feu et laisser refroidir un peu.

☐ Préchauffer le four (230 °C). Introduire la farce à l'intérieur de l'oie avec une cuiller et fermer avec des brochettes ou du gros fil. Déposer l'oie (sur le dos) sur un plat à feu et faire cuire environ 30 minutes.

☐ Réduire la température à 180 °C. Sortir l'oie du four, faire couler la graisse et piquer encore une fois l'oie avec une fourchette. Retourner l'oie sur le ventre et faire cuire 1 heure et demie, arroser 3 ou 4 fois pendant la cuisson. Quand la graisse ne s'écoule plus, verser 250 ml d'eau dans le plat à feu et continuer à faire cuire jusqu'à ce que l'oie soit à point. Un jus jaune clair ou incolore doit s'écouler quand on pique une cuisse avec la pointe d'un couteau.

☐ Quand l'oie est à point, la disposer sur un plat de service, la recouvrir d'une feuille de papier sulfurisé et la laisser reposer 20 minutes au chaud.

☐ Dégraisser le plat à feu, conserver une cuillerée à soupe de graisse. Mélanger l'arrow-root, le jus de pommes, le vinaigre et 125 ml d'eau, rajouter de l'eau si nécessaire. Saler et poivrer à volonté. Porter à ébullition sans cesser de remuer, en grattant le résidu de rôti sur le plat. Réduire la température, laisser cuire 5 minutes. Verser dans une saucière. Décorer l'oie avec du cresson et des morceaux de pomme. Présenter la sauce séparément.

POULET DE SABBAT À LA MANIÈRE ARGENTINE

POULET GRILLÉ AUX ÉPICES

POUR 6–8 PERSONNES

Les mets grillés sont très populaires en Israël et il existe un grand nombre de variantes. À chaque coin de rue, on trouve un brasero, sur lequel on fait griller des brochettes de viande, de poulet, de cœur de poulet, de légumes et toutes sortes de petits pâtés. Essayez cette recette toute simple de poulet et accompagnez de salade de pommes de terre et de salade israélienne (voir pages 91 et 89).

- 1 poulet de 1,8 à 2,5 kg, coupé en morceaux
- 2 cuil. à soupe d'huile d'olive
- 2 cuil. à soupe de cumin moulu
- 1 1/2 cuil. à café de curcuma
- 1 cuil. à café de paprika fort ou doux, ou de piment moulu
- Feuilles de coriandre fraîches pour garnir

☐ Badigeonner les morceaux de poulet avec de l'huile d'olive. Les disposer sur une plaque et les saupoudrer avec les épices des deux côtés. Laisser reposer.

☐ Placer le gril à environ 12,5 cm au-dessus des boulets de charbon chauds. Poser les cuisses et les ailes sur le gril, faire griller 10 minutes. Ajouter ensuite les blancs de poulet sur le gril, les faire griller 7 à 10 minutes. Relever le gril si les morceaux de poulet dorent trop rapidement.

☐ Retourner les morceaux de poulet. Faire griller les blancs 7 à 10 minutes, les cuisses et les ailes 12 à 15 minutes. Le poulet est à point quand un jus incolore s'écoule de la cuisse que l'on pique avec la pointe d'un couteau.

☐ Disposer les morceaux de poulet sur un plat de service et garnir avec des feuilles de coriandre.

> **CONSEIL**
> DES MORCEAUX DE VIANDE D'AGNEAU PEUVENT ÊTRE PRÉPARÉS DE LA MÊME MANIÈRE.

POULET AUX NOIX ET AUX GRENADES

POUR 4 PERSONNES

La grenade est le fruit le plus symbolique de l'histoire juive. Elle joue un grand rôle à l'occasion de Rosh Haschana, le Jour de l'an israélite ; dans certaines communautés, on prépare le *haroset* de Pessah avec des pépins de grenade. Ce poulet braisé aux noix et aux grenades est très populaire chez les Juifs iraniens. On peut le servir avec du *chelou,* un riz cuit à la mode persane (voir page 86).

- 1 poulet à rôtir de 1,6 à 2,5 kg
- Sel
- Poivre noir moulu
- 2 cuil. à soupe d'huile végétale
- 1 oignon finement haché
- 275 g de noix, moulues ou finement hachées
- 450 ml de jus de grenade ou 125 ml de sirop dilué dans 375 ml d'eau
- 2 cuil. à soupe de jus de citron
- 75 ml d'eau bouillante

- 1 cuil. à soupe de concentré de tomates
- 2 bâtons de cannelle
- 2 cuil. à soupe de sucre roux
- Cresson, pépins de grenade et cerneaux de noix pour garnir

REMARQUE

ON TROUVE DU JUS DE GRENADE DANS LES ÉPICERIES ASIATIQUES.

☐ Passer le poulet sous l'eau froide, tamponner l'intérieur et l'extérieur avec du papier absorbant. Saler et poivrer l'intérieur et la peau.

☐ Faire chauffer l'huile dans une grande casserole, sur feu moyen. Faire cuire le poulet 10 à 15 minutes en le retournant plusieurs fois jusqu'à ce qu'il soit doré de toutes parts. Le poser sur une grande assiette et le réserver.

☐ Faire revenir l'oignon dans la poêle 2 à 3 minutes. Ajouter les noix moulues ou concassées et faire dorer 2 à 3 minutes. Verser dessus le jus de grenade ou le mélange eau-sirop, le jus de citron et l'eau bouillante. Ajouter le concentré de tomates et le sucre roux, puis les bâtons de cannelle et porter un instant à ébullition. Mettre sur feu doux.

☐ Remettre le poulet dans la poêle, couvrir et faire cuire 45 à 50 minutes. Un jus incolore doit s'écouler quand on pique la cuisse avec la pointe d'un couteau. Disposer le poulet sur un plat de service et le couvrir d'une feuille de papier d'aluminium pour le tenir au chaud. Si la sauce est trop liquide, la faire réduire.

☐ Napper le poulet de sauce, décorer le plat avec du cresson et des pépins de grenade, puis répartir les cerneaux de noix sur le poulet.

EN ISRAËL, LA TERRE EST ENCORE OCCASIONNELLEMENT CULTIVÉE SELON LES MÉTHODES TRADITIONNELLES.

CANARD RÔTI À L'ISRAÉLIENNE

POUR 4 PERSONNES

En Israël, on élève de nouvelles races de canards pour leur viande et pour produire du foie gras. Le mélange d'oranges et de sucre donne une belle couleur mais on peut néanmoins utiliser du jus de pamplemousse. On peut accompagner le canard avec une simple sauce ou avec de la compote de pommes et des *latkes* (voir page 73).

- 1 jeune canard de 2,25 à 2,7 kg, décongelé, s'il sort du congélateur
- Sel
- Poivre noir moulu
- 1/2 orange, coupée en quatre
- 1 cuil. à soupe de sucre roux
- 175 ml de jus d'orange frais
- 1 oignon, coupé en fines lamelles
- 1 carotte, coupée en fines rondelles

- 1 cuil. à soupe de farine
- 175 ml de bouillon de poulet ou d'eau
- 1 cuil. à soupe de vinaigre de cidre ou de vinaigre d'alcool
- 1 cuil. à soupe de confiture d'orange
- Persil frais pour garnir

☐ Passer le canard sous l'eau froide. Tamponner l'intérieur et l'extérieur avec du papier absorbant. Enlever la graisse superflue de la peau et de l'intérieur. Saler et poivrer l'intérieur, frotter la peau avec du sel et du poivre. Piquer la peau avec une fourchette. Glisser les morceaux d'orange à l'intérieur du canard.

☐ Mélanger le sucre roux et 1 cuiller à café de sel avec 3 à 4 cuillerées de jus d'orange dans un petit bol. Conserver le reste de jus.

☐ Préchauffer le four (180 °C). Mettre les rondelles d'oignon et de carotte dans un plat à four et placer le canard au-dessus sur une grille. Faire rôtir 30 minutes. Le sortir du four et l'arroser de graisse. Enlever la graisse et piquer de nouveau la peau avec une fourchette.

☐ Laisser rôtir le canard 1 heure et demie, verser du jus dessus toutes les 20 minutes et enlever la graisse jusqu'à ce que le canard soit doré et bien croustillant. Un jus incolore doit s'écouler quand on pique une cuisse avec la pointe d'un couteau.

☐ Disposer le canard sur un plat de service, le recouvrir d'une feuille de papier d'aluminium, laisser reposer 15 minutes.

☐ Dégraisser mais conserver une cuillerée à soupe de graisse. La mélanger à la farine. Faire cuire 1 à 2 minutes sans cesser de remuer et de gratter le résidu sur la plaque. Mélanger avec le reste de jus d'orange, le fond de volaille ou l'eau, le vinaigre de cidre et la confiture. Laisser bouillir et faire réduire la sauce 3 à 4 minutes.

☐ Présenter la sauce dans une saucière. Garnir le canard avec du persil et le servir coupé en quatre ou le trancher sur la table.

POUSSINS À LA NORD-AFRICAINE

POUR 4 PERSONNES

Le couscous est une semoule roulée en grains avec laquelle on prépare beaucoup de plats au Maroc et en Tunisie ; c'est une base idéale pour farcir les volailles. Dans cette recette, il est combiné avec des épices typiquement nord-africaines et est utilisé pour farcir les poussins. Le couscous peut être préparé pour farcir un poussin ou cuit séparément.

- 4 cuil. à soupe d'huile d'olive
- 1 petit oignon finement haché
- 2 gousses d'ail, épluchées et hachées finement
- 2,5 cm de racine de gingembre fraîche, finement hachée
- 60 g de noix de pécan coupées en deux, grillées et hachées grossièrement
- 250 g de couscous précuit
- Sel
- Poivre noir moulu
- 1/2 cuil. à café de cannelle
- 60 g de raisins de Smyrne
- 100 g d'abricots secs, hachés
- 4 cuil. à soupe de menthe fraîche hachée ou 1 cuil. à soupe de menthe séchée
- 250 ml de jus de tomate
- 250 ml d'eau bouillante
- 4 poussins
- 1/2 cuil. à café de gingembre moulu
- 1/2 cuil. de paprika fort
- Persil frais ou cresson pour garnir

☐ Faire chauffer 2 cuillerées à soupe d'huile d'olive sur feu moyen ou vif. Faire revenir l'oignon 2 à 3 minutes. Ajouter l'ail et la racine de gingembre, faire cuire encore 1 minute, ajouter les noix de pécan et bien mélanger.

☐ Ajouter le couscous, sel et poivre à volonté, la cannelle, les raisins de Smyrne, les abricots et la menthe puis bien mélanger le tout. Arroser de jus de tomate et d'eau, et secouer la poêle pour bien mélanger les ingrédients. Retirer du feu et laisser reposer, couvert, pendant 5 minutes. Retirer le couvercle et remuer un peu avec une fourchette. Laisser refroidir et goûter.

☐ Préchauffer le four (190 °C). Passer les poussins sous l'eau froide et les tamponner avec du papier absorbant. Badigeonner les poussins avec le reste d'huile d'olive ; saler et poivrer l'intérieur. Frotter la peau avec le gingembre et le paprika.

☐ Introduire environ 60 à 75 g de farce à l'intérieur de chaque poussin avec une cuiller et lier les cuisses avec une ficelle. Couvrir le reste de farce et réserver. Graisser un grand plat à rôtir et y mettre les poussins.

☐ Faire rôtir les poussins 1 heure environ jusqu'à ce qu'ils soient croustillants et dorés et qu'un jus clair s'écoule quand on pique une cuisse avec la pointe d'un couteau.

☐ Arranger les poussins sur un plat de service et les recouvrir d'une feuille de papier d'aluminium. Verser 60 ml d'eau dans le plat à rôtir, remuer, gratter le résidu. Verser le jus de cuisson sur le couscous. Faire réchauffer le mélange de couscous 2 à 3 minutes sur feu doux ou moyen, en remuant avec une fourchette. Présenter sur un plat à servir et garnir avec du persil ou du cresson.

LES FRUITS FRAIS SONT UNE COMPOSANTE ESSENTIELLE DE L'ALIMENTATION DES PEUPLES LEVANTINS.

POULET AU PIMENT À LA COCHINOISE

POUR 4 PERSONNES

Ce plat est basé sur une recette inventée par la communauté juive de Cochin, dans le sud de l'Inde. La saveur « piquante » a été légèrement atténuée, car la quantité originale de piment serait trop importante pour le palais européen. Ce plat change agréablement des poulets braisés habituels, et comme on peut le tenir au chaud, il est parfait pour un dîner du vendredi soir, jour où il est souvent servi à Cochin. Le riz bouilli constitue un accompagnement idéal.

- 2 cuil. à soupe de jus de citron
- 1 cuil. à café de sel
- 2 cuil. à soupe de sucre
- 2 cuil. à soupe d'huile végétale
- 10 à 12 feuilles de curry fraîches ou séchées, ou 1 cuil. à café de poudre de curry
- 375 g d'échalotes émincées
- 6 gousses d'ail hachées finement
- 2,5 cm de racine de gingembre fraîche, hachée finement
- 5 piments verts, pas trop forts, épépinés et coupés en lamelles
- 2 tomates moyennes hachées
- 1/2 cuil. à café de curcuma
- 1/4 de cuil. à café de piment moulu
- 1 poulet à rôtir de 1,4 à 1,6 kg, coupé en 8 morceaux
- 2 cuil. à soupe de coriandre fraîche hachée
- Feuilles de coriandre fraîches et quartiers de citron pour garnir

☐ Mélanger le jus de citron, 1/4 de cuillerée à café de sel et du sucre dans un petit bol jusqu'à ce que le sucre soit dissous. Réserver.

☐ Faire chauffer l'huile dans une casserole, sur feu moyen ou vif. Y mettre les feuilles de curry ou la poudre de curry et remuer 10 à 15 secondes jusqu'à ce qu'elles grésillent. Faire revenir les échalotes, l'ail, le gingembre et les piment, 5 à 7 minutes. Ajouter les tomates, le curcuma, la poudre de piment et le reste de sel, faire cuire encore 3 à 4 minutes.

☐ Incorporer le poulet au mélange de légumes et recouvrir les morceaux de légumes. Verser 250 ml d'eau, porter à ébullition. Réduire la température et faire mijoter 20 minutes dans la marmite couverte ; remuer une fois au cours de la cuisson.

☐ Enlever le couvercle, incorporer le mélange de jus de citron mis de côté et la coriandre hachée. Mettre sur feu moyen et laisser mijoter 10 minutes environ jusqu'à ce que la sauce épaississe un peu. Verser un peu de sauce sur le poulet de temps en temps.

☐ Disposer les morceaux de poulet sur un plat à servir. Verser la sauce par-dessus et garnir avec des feuilles de coriandre et des quartiers de citron.

ESCALOPES DE DINDE AUX ÉPICES

POUR 4 PERSONNES

Israël produit de grandes quantités de dindes et de poulets et les prépare selon des méthodes que l'on emploie normalement pour d'autres sortes de viandes, non disponibles ou trop coûteuses. Le veau est presque hors de prix, et c'est pourquoi l'escalope de veau viennoise à l'ancienne est préparée avec du blanc de dinde et des épices populaires en Israël. C'est l'un des plats les plus appréciés en Israël.

- 625 g de blanc de dinde, coupés en 8 tranches d'environ 1,25 cm d'épaisseur
- 1 cuil. à café de cumin moulu
- 1/2 cuil. à café de curcuma
- 1/2 cuil. à café de paprika fort
- 1/2 cuil. à café de sel
- Poivre noir moulu
- 1/8 cuil. à café de poivre
- de Cayenne ou de piment moulu
- 60 g de farine
- 2 œufs battus
- 125 g de farine à matzot ou de chapelure fine
- Huile végétale pour la friture
- Quartiers de citron et persil frais pour garnir

☐ Mettre une tranche de blanc de poulet entre deux feuilles de papier sulfurisé et l'aplatir autant que possible.

☐ Mélanger le cumin, le curcuma, le paprika, le sel, le poivre et le cayenne ou la poudre de piment dans un petit bol. Frotter les tranches de dinde avec les épices, laisser reposer 30 minutes.

☐ Verser la farine, les œufs battus et la farine à matzot ou la chapelure dans trois assiettes creuses. Rouler chaque tranche de dinde dans la farine, secouer l'excédent de farine, plonger la tranche dans l'œuf battu, puis dans la farine à matzot ou dans la chapelure. Poser sur une plaque.

☐ Faire chauffer 2 à 3 cuillerées d'huile dans une grande poêle, sur feu moyen ou vif. Poser côte à côte 2 à 3 tranches de dinde, de manière qu'elles ne se chevauchent pas. Faire dorer un côté 2 minutes, retourner avec précaution avec une spatule. Faire dorer 1 à 2 minutes jusqu'à ce que l'autre face soit dorée et que la viande de dinde soit à point. Faire cuire toutes les tranches, ajouter de l'huile dans la poêle si nécessaire. Égoutter sur du papier absorbant.

☐ Disposer les escalopes de dinde sur un plat à servir résistant à la chaleur et tenir au chaud jusqu'à ce que toutes les escalopes soient cuites. Garnir avec des quartiers de citron et des brins de persil.

POULET À L'INDIENNE

POUR 4 PERSONNES

Ce plat très épicé est souvent servi dans la communauté Bene Israël, de Bombay. C'est un repas idéal pour le sabbat. Il peut facilement être préparé à l'avance et cuit à four doux pendant la nuit.

- 1 poulet à rôtir de 1,4 à 1,6 kg
- 125 ml d'huile végétale
- Sel
- Poivre noir moulu
- 1 oignon coupé en deux, puis en tranches fines
- 2 gousses d'ail hachées finement
- 2 feuilles de laurier
- 1 bâton de cannelle
- 4 clous de girofle entiers
- 4 graines de cardamome
- 1 cuil. à soupe de poudre de curry ou de *garam masala*
- 1 cuil. à soupe de racine de gingembre hachée finement ou râpée
- 1/4 cuil. à café de curcuma
- 250 ml de bouillon de volaille, de bouillon de légumes ou d'eau
- Persil frais pour garnir

☐ Passer le poulet sous l'eau froide et le tamponner avec du papier absorbant. Détacher les cuisses et les ailes du tronc sur une planche à découper, séparer le pilon de la cuisse. Enlever les pointes des ailes, séparer les blancs et les ailes de la carcasse, couper chaque morceau de blanc en deux. On obtient ainsi 8 morceaux. Les extrémités des ailes et la carcasse peuvent servir à faire une soupe.

☐ Préchauffer le four (130 °C). Faire chauffer de l'huile dans une casserole ou dans une marmite avec couvercle, sur feu moyen ou vif. Y déposer les morceaux de poulet, saler et poivrer, faire rôtir 5 à 7 minutes jusqu'à ce que le dessous soit doré. Retourner les morceaux de poulet et ajouter les autres ingrédients en remuant délicatement.

☐ Bien couvrir la marmite et faire cuire le poulet dans le four pendant 1 heure et demie. Arroser d'un peu de jus de temps en temps, ajouter un peu de bouillon de volaille ou d'eau si le liquide s'est évaporé.

☐ Disposer les morceaux de poulet sur un plat à servir, napper de jus de cuisson et garnir avec du persil.

ESCALOPES DE DINDE AUX ÉPICES

SENIYEH

POUR 4–6 PERSONNES

Ce plat yéménite traditionnel est une version casher de la moussaka grecque. Comme la sauce béchamel à base de lait est remplacée par de la sauce au tahin, ce plat est tout à fait indiqué pour le dîner du sabbat. Servir avec de la purée de pommes de terre ou du riz et de la salade.

- 500 g de hachis de mouton maigre
- 1 cuil. à soupe de farine
- 2 oignons hachés finement
- 2 gousses d'ail épluchées et hachées finement
- 2 cuil. à soupe de persil frais haché ou de coriandre
- 1/2 cuil. à café de cannelle
- Sel

- Poivre noir moulu
- 1/2 cuil. à café de *zhoug* (voir page 11) ou 1/4 de cuil. à café de poivre de Cayenne
- 2 cuil. à soupe d'huile d'olive
- 30 g de pignons grillés
- 125 ml de tahin
- 3 à 4 cuil. à soupe de jus de citron

☐ Mettre la viande dans une grande terrine. Saupoudrer de farine et retourner pour bien répartir la farine. Ajouter les oignons, l'ail, le persil ou la coriandre, et la cannelle ; bien mélanger. Saler et poivrer à volonté. Ajouter la *zhoug* ou le poivre de Cayenne, l'huile et les pignons.

☐ Préchauffer le four (180 °C). Badigeonner d'huile un moule de 2 l et le remplir avec la viande préparée. Égaliser la surface.

☐ Mélanger le tahin, le jus de citron et 1 à 2 cuillerées à soupe d'eau dans un bol. Verser sur la viande, parsemer le tout de pignons.

☐ Faire cuire 35 à 40 minutes dans le moule non couvert jusqu'à ce que la surface soit dorée, que des bulles se forment et que la viande soit à point (si l'on pique un couteau dans la masse de viande pendant 30 secondes, il doit en ressortir brûlant).

LANGUE DE BŒUF À LA SAUCE AIGRE-DOUCE

POUR 6–8 PERSONNES

La langue a une valeur symbolique particulière pour les Juifs, car Abraham servit aux anges un repas à base de langue. La variante aigre-douce, très populaire chez les Juifs allemands et polonais, est de tradition pour Soukkot ou Solennité des Tabernacles.

- 1 langue de bœuf de 1,8 kg
- 1 cuil. à soupe de vinaigre d'alcool
- 6 clous de girofle entiers
- 1 cuil. à soupe de grains de poivre noir
- 1 feuille de laurier
- Persil frais pour garnir

- 2 cuil. à soupe de sucre roux
- 1 cuil. à soupe de miel
- 90 g de raisins secs

SAUCE AIGRE-DOUCE

- 1 cuil. à soupe de graisse de poulet, margarine ou huile végétale
- 2 oignons coupés en minces rondelles
- 1 cuil. à soupe de farine
- 1/2 cuil. à café de sel
- Poivre noir moulu
- 1 bâton de cannelle
- 3 à 4 clous de girofle entiers
- 125 ml de sauce tomate
- Zeste et jus de 1 citron

> **CONSEIL**
>
> POUR CETTE RECETTE, ON PEUT ÉGALEMENT EMPLOYER DE LA LANGUE DE BŒUF EN CONSERVE OU FUMÉE, MAIS CETTE DERNIÈRE DOIT ÊTRE DESSALÉE PENDANT PLUSIEURS HEURES OU PENDANT LA NUIT, DANS DE L'EAU FROIDE QUE L'ON CHANGERA PLUSIEURS FOIS AVANT DE PRÉPARER LA VIANDE. SI VOUS EMPLOYEZ UNE LANGUE EN CONSERVE OU FUMÉE, N'AJOUTEZ PAS DE SEL.

☐ Mettre la langue dans une grande marmite avec le vinaigre, les clous de girofle, les grains de poivre et la feuille de laurier. Recouvrir d'eau froide et porter à ébullition. Écumer. Laisser cuire encore 5 minutes et écumer plusieurs fois. Réduire la température, faire cuire 3 à 4 heures sur feu moyen jusqu'à ce que la langue soit tendre quand on la pique avec le bout d'une fourchette. Ajouter un peu d'eau si nécessaire, afin que la langue soit toujours couverte d'eau.

☐ Retirer du feu, laisser refroidir la langue dans le liquide de cuisson puis la sortir du liquide. Égoutter, retirer la peau et les déchets avec un couteau affilé. Mettre la langue de côté, conserver le liquide de cuisson.

☐ Préparer la sauce. Faire fondre la graisse de poulet, la margarine ou l'huile dans une cocotte, sur feu doux. Y faire revenir les oignons 5 à 7 minutes. Saupoudrer les oignons de farine, les faire cuire 1 minute sans cesser de remuer jusqu'à ce que la farine roussisse. Verser lentement environ 450 ml du liquide de cuisson, faire cuire 2 minutes environ en remuant constamment jusqu'à ce que la sauce soit homogène et légèrement épaisse.

☐ Saler et poivrer à volonté, ajouter les ingrédients restants. Mettre sur feu doux ou moyen et laisser cuire 10 minutes en remuant de temps en temps. Retirer le bâton de cannelle et les clous de girofle de la sauce.

☐ Couper la langue en tranches de 6 mm d'épaisseur, les mettre dans la sauce. Faire cuire 2 à 3 minutes jusqu'à ce que la langue soit bien chaude. Disposer les tranches de langue sur un plat à servir ou sur des assiettes individuelles, verser un peu de sauce par-dessus et garnir de persil.

JUIFS MAROCAINS EN TRAIN D'ÉTUDIER LA TORAH (LES CINQ LIVRES DE MOÏSE)

TZIMMES DE BŒUF À LA MEXICAINE

POUR 8 PERSONNES

Cette variante de *tzimmes* allemand allie la tradition de l'Ancien Monde et les ingrédients du Nouveau Monde. Le *tzimmes* est un ragoût longuement mijoté, composé de viande, de légumes doux, tels que carottes ou patates douces, et de fruits, généralement des pruneaux.

- 1,6 kg de poitrine de bœuf désossée
- 1 1/2 cuil. à soupe de farine
- 4 à 6 cuil. à soupe de graisse de poule ou d'huile végétale
- 2 oignons coupés en rondelles fines
- 2 à 4 gousses d'ail épluchées
- 2 boîtes de tomates de 425 g
- 1 grosse mangue, épluchée et réduite en purée
- 1 cuil. à café de sel
- 1/2 cuil. à café de piment rouge sec, émietté
- 1 bâton de cannelle
- 2 feuilles de laurier

- 4 cuil. à soupe de miel
- 4 carottes coupées en rondelles
- 2 grosses patates douces ou ignames, épluchées et coupées en morceaux
- 215 g de pruneaux dénoyautés, trempés 2 h dans de l'eau chaude et bien égouttés
- 2 boîtes de 425 g de haricots rouges, passés sous l'eau froide et égouttés
- 4 cuil. à soupe de coriandre fraîche hachée

☐ Passer la viande de bœuf sous l'eau froide ; bien tamponner avec du papier absorbant. Saupoudrer la viande de farine.

☐ Faire chauffer 2 à 3 cuillerées à soupe de graisse de poulet ou d'huile dans une grande casserole avec couvercle hermétique, sur feu moyen ou vif. Faire dorer la viande 5 à 7 minutes, la retourner et faire dorer l'autre face 4 à 5 minutes. Poser sur une assiette et réserver.

☐ Verser le reste de graisse de poulet ou d'huile et les oignons dans la casserole. Laisser revenir 3 à 5 minutes. Ajouter l'ail et faire cuire 1 minute. Incorporer les tomates et leur jus, remuer pour concasser les tomates et mélanger avec le jus de cuisson. Ajouter la purée de mangue, le sel, le piment fort, la poudre de piment, le bâton de cannelle, les feuilles de laurier et le miel, et faire cuire 2 à 3 minutes sans cesser de remuer.

☐ Remettre la viande dans la casserole et la recouvrir d'eau. Bien fermer et laisser mijoter 1 heure et demie sur feu moyen. (Vérifier de temps en temps s'il y a encore assez d'eau.) Ajouter les rondelles de carottes, les morceaux de patates douces, les pruneaux et les haricots. Couvrir et laisser mijoter encore 30 minutes sur feu moyen. Ajouter un peu d'eau si nécessaire.

☐ Mettre la viande dans un plat creux. La couper en tranches minces. Si la sauce est trop liquide, la faire réduire 5 à 10 minutes. Disposer les légumes et les haricots autour de la viande avec une écumoire, verser la sauce sur la viande et parsemer le tout de coriandre hachée.

BATEAUX MULTICOLORES AU MARCHÉ AUX POISSONS DE HODEÏDA AU YÉMEN

HAMIN

POUR 8 PERSONNES

L'*hamin* est la variante séfarade du tcholent, ragoût longuement mijoté. Dans leur cuisine, les Iraniens, les Afghans et les Kurdes utilisent des coings et de l'eau de fleurs, surtout de l'eau de rose. Dans cette recette, on trouve les deux. À l'origine, on faisait cuire des boutons de rose ou des pétales de rose séchés, mais l'eau de rose est plus facile à trouver dans les magasins d'alimentation grecs ou orientaux. Ces ingrédients donnent un plat très exotique et très parfumé, qui peut être préparé avec du poulet, du bœuf ou, comme ici, avec de l'agneau.

- 2 cuil. à soupe d'huile végétale
- 2 oignons coupés et émincés
- 4 gousses d'ail hachées finement
- 2,25 à 2,7 kg d'épaule d'agneau, désossée et dégraissée, coupée en morceaux
- 4 pommes de terre, épluchées et coupées en rondelles
- 4 carottes coupées en minces rondelles
- 500 g de potiron ou de courge, épluché et coupé en dés
- 625 g de riz basmati ou de tout autre riz à long grain
- 500 g de coings, épluchés, coupés en quatre, puis en lamelles
- 1 bâton de cannelle
- 4 clous de girofle entiers
- 2 cuil. à café de sel
- Poivre noir moulu
- 1 cuil. à soupe d'eau de rose (facultatif)
- 2 œufs battus

CONSEIL

COMME LA VIANDE D'AGNEAU PEUT ENCORE CONTENIR DE LA GRAISSE, LE PLAT DOIT ÊTRE PRÉPARÉ 2 JOURS À L'AVANCE. LAISSER REFROIDIR ET METTRE AU RÉFRIGÉRATEUR. GRATTER LA GRAISSE À LA SURFACE DU PLAT FROID ET RÉCHAUFFER LA VIANDE À 180 °C.

☐ Faire chauffer l'huile sur feu vif ou moyen dans une grande cocotte avec couvercle hermétique. Faire revenir les oignons pendant 5 à 7 minutes. Ajouter l'ail et faire cuire encore 1 minute. Verser sur une assiette et réserver.

☐ Mettre la viande dans la même cocotte et faire revenir 7 à 10 minutes jusqu'à ce que les morceaux soient dorés de toutes parts. Il faudra peut-être procéder en plusieurs fois, car la cocotte ne doit pas être trop pleine. Mettre la viande sur une assiette propre, retirer la cocotte du feu, mais ne pas jeter l'huile.

☐ Préchauffer le four (230 °C). Bien répartir les rondelles de pommes de terre sur le fond de la cocotte. Mettre ensuite une couche de pommes de terre, puis les dés de citrouille, la viande et le riz. Répartir le mélange oignon-ail sur la viande. Poser dessus les tranches de coing, le bâton de cannelle et les clous de girofle, saler et poivrer. Ajouter éventuellement quelques gouttes d'eau de rose.

☐ Mélanger les œufs avec 250 ml d'eau, verser dans la cocotte ; tous les ingrédients doivent être recouverts d'eau. Laisser mijoter 30 minutes, réduire la température à 100 °C environ et laisser cuire 8 à 10 heures ou pendant toute la nuit. Servir l'*hamin* dans la cocotte.

ENFANTS PRÉSENTANT LES PREMIERS FRUITS POUR SHAVOUOTH (PENTECÔTE),
QUE L'ON APPELLE AUSSI « FÊTE DES FRUITS »

CHOU FARCI AIGRE-DOUX

POUR 6–8 PERSONNES

Il existe de nombreuses variantes de ce plat préparé par les Juifs d'Europe orientale à l'occasion de Soukkot, et il a beaucoup de noms. Le *goloupsi*, comme on l'appelle en Russie, est préparé avec une sauce tomate aigre-douce. Dans d'autres pays, en Hongrie par exemple, il en va différemment. Ce plat peut être servi avec de la purée de pommes de terre.

- 1 gros chou
- 30 g de chapelure épicée
- 125 ml de lait
- 1 cuil. à soupe d'huile végétale
- 1 oignon haché finement
- 2 gousses d'ail épluchées et hachées finement
- 1 kg de hachis de bœuf
- 3/4 de cuil. à café de sel
- Poivre noir moulu
- 4 cuil. à soupe de ketchup
- 2 œufs battus
- 2 à 3 cuil. à soupe d'aneth frais haché
- 100 g de riz à long grain

- Aneth frais haché pour garnir

SAUCE
- 2 boîtes de tomates de 425 g chacune
- 450 ml de sauce tomate
- 8 cuil. à soupe de ketchup
- Sel
- Poivre noir moulu
- 2 oignons coupés en minces lamelles
- Zeste et jus de 1 citron
- 75 g de sucre roux
- 125 g de raisins de Smyrne

ÉVOCATION ÉMOUVANTE DE LA COMMUNAUTÉ JUIVE DANS LA VIEILLE VILLE DE CRACOVIE, EN POLOGNE

☐ Enlever le trognon de chou et détacher délicatement autant de feuilles que possible. Les petites feuilles peuvent se chevaucher pour former une plus grosse feuille. Remplir d'eau une grande marmite et porter à ébullition. Y mettre les feuilles (éventuellement en plusieurs fois) et faire cuire 3 à 5 minutes jusqu'à ce qu'elles soient tendres, mais pas molles. Verser dans une passoire et passer sous l'eau froide. Réserver.

☐ Verser la chapelure et le lait dans un bol et attendre que la chapelure ait absorbé le lait.

☐ Faire chauffer l'huile dans une petite poêle, sur feu moyen ou vif. Faire dorer les oignons 3 à 5 minutes. Ajouter l'ail et faire revenir encore 1 minute sans cesser de remuer. Retirer du feu et réserver.

☐ Mélanger le hachis de bœuf, le sel, le poivre, le ketchup, les œufs, l'aneth haché et le riz dans une grande terrine avec une fourchette. Incorporer délicatement la chapelure trempée dans le lait et les oignons revenus. Bien mélanger.

☐ Mettre tous les ingrédients de la sauce dans un plat à rôtir avec couvercle hermétique. Porter à ébullition sur feu moyen ou vif, réduire la température et laisser mijoter 15 à 20 minutes en remuant de temps en temps.

☐ Préchauffer le four (170 °C). Poser une feuille de chou sur le plan de travail, enlever éventuellement les côtes épaisses. Mettre 1 à 2 cuillerées à soupe de farce
(la quantité dépend de la taille de la feuille de chou) au milieu de chaque feuille de chou. Refermer les côtés sur la farce, puis rouler la feuille de façon que la farce soit bien enveloppée. Poser sur une plaque ou sur un plateau, recommencer jusqu'à ce que la farce soit épuisée (on peut couper ou râper le reste de chou et l'incorporer dans la sauce).

☐ Déposer tous les « petits paquets » de chou, la pliure vers le bas, dans le plat à rôtir et arroser de sauce les « petits paquets » de chou. Si nécessaire, ajouter un peu d'eau ; le chou doit baigner dans le liquide. Fermer le couvercle et passer 1 heure et demie au four.

☐ Retirer le couvercle et verser de la sauce sur les « petits paquets » de chou. Poser les paquets de chou sur un plat creux avec une écumoire et les tenir au chaud. Si la sauce est très liquide, la faire réduire sur feu moyen ou vif. Si elle est trop épaisse, ajouter un peu d'eau. Napper le chou de sauce et parsemer d'aneth haché.

VIANDE BRAISÉE TRADITIONNELLE À LA SAUCE À L'OIGNON

POUR 8–10 PERSONNES

Ce plat typiquement russo-juif est devenu une composante fixe de la table des Juifs américains. Il existe de nombreuses variantes, la plus connue étant préparée avec de la soupe à l'oignon toute prête ! La recette donnée est tout aussi simple, mais elle est préparée avec des oignons frais ; elle est excellente avec de la purée de pommes de terre.

- 1 morceau de poitrine de bœuf ou d'épaule de bœuf de 2,25 à 2,7 kg
- 1 cuil. à soupe de farine
- 4 cuil. à soupe d'huile végétale
- 6 oignons coupés en rondelles de 1,25 cm de large
- 4 à 6 gousses d'ail épluchées et hachées finement
- 250 ml de jus de tomate
- Sel
- Poivre noir moulu
- 1/2 cuil. à café de thym séché
- 1/2 cuil. à café de paprika
- 1 feuille de laurier
- 6 carottes coupées en diagonale

et en rondelles de 6 mm d'épaisseur
- Persil frais pour garnir

CONSEIL

COMME TOUS LES RAGOÛTS ET PLATS DE VIANDE MIJOTÉS, CETTE VIANDE BRAISÉE EST MEILLEURE QUAND ELLE A ÉTÉ PRÉPARÉE LA VEILLE. CONSERVER AU RÉFRIGÉRATEUR ET ENLEVER LA GRAISSE. RÉCHAUFFER 35 À 45 MINUTES AU FOUR (180 °C).

☐ Passer la viande sous l'eau froide ; tamponner soigneusement avec du papier absorbant. Enlever la graisse visible et saupoudrer la viande de farine.

☐ Faire chauffer 2 cuillerées à soupe d'huile dans une grande casserole, sur feu moyen ou vif. Faire revenir la viande 5 à 7 minutes jusqu'à ce que le dessous soit doré. Retourner la viande et faire cuire encore 5 à 6 minutes jusqu'à ce que l'autre face soit dorée. Mettre dans une assiette

☐ Préchauffer le four (170 °C). Verser le reste d'huile dans la casserole et y ajouter les rondelles d'oignon. Les faire revenir 4 à 5 minutes. Ajouter l'ail et faire revenir encore 1 minute. Incorporer le jus de tomate, remuer et détacher le résidu de rôti. Saler et poivrer à volonté, assaisonner avec thym, paprika et feuille de laurier.

☐ Remettre la viande de bœuf dans la casserole, ajouter autant d'eau que nécessaire pour recouvrir tous les ingrédients. Porter à ébullition, écumer. Bien fermer la marmite et faire mijoter au four environ 3 heures et demie jusqu'à ce que la viande soit tendre. Ajouter les carottes et laisser mijoter encore 30 minutes jusqu'à ce qu'elles soient cuites.

☐ Sortir la casserole du four et retirer le couvercle. Si la sauce est trop liquide, poser la viande sur un plat de service creux et faire réduire la sauce. Verser la sauce aux oignons et aux carottes autour du morceau de bœuf et décorer avec du persil. Couper la viande en tranches de 6 mm d'épaisseur.

TCHOLENT

POUR 8–10 PERSONNES

Le tcholent est un ragoût longuement mijoté, préparé le vendredi soir et servi le jour du sabbat au déjeuner, après la prière du matin.

Il existe probablement depuis les temps bibliques ; on le trouve partout où vivent des Juifs, mais les ingrédients et les épices varient légèrement. Les ingrédients essentiels sont la viande et les haricots. Le secret de cette préparation est sa lente cuisson, grâce à laquelle un morceau de viande bon marché devient tendre. On peut en outre laisser mijoter ce plat très longtemps sur feu doux sans le surveiller. Le tcholent, du français « chaud » et « lent », est préparé dans toutes les familles ashkénazes ; c'est un ragoût à plusieurs couches, qui peut être composé de viande, de poulet, de haricots, de saucisses, de boulettes de viande et de pommes de terre. Son équivalent est la *dfina* séfarade. Les Juifs de la frontière afghane, d'Iran, d'Italie et d'Israël mangent l'*hamin*, mot hébreu pour tcholent. Cette recette est une variante typiquement ashkénaze et contient une boulette spéciale, la *tcholent-kneidl*.

- 2 cuil. à soupe d'huile végétale
- 4 oignons coupés en deux puis émincés
- 4 gousses d'ail épluchées et finement hachées
- 1,4 kg de cuisseau, poitrine ou épaule de bœuf, sans os, coupé en morceaux
- 425 g de haricots de Lima, haricots blancs ou haricots rouges, trempés au moins pendant 8 h
- 215 g d'orge mondé
- 10 à 12 pommes de terre moyennes, épluchées et coupées en deux ou en quatre
- 2 cuil. à café de sel

- Poivre noir moulu
- 1 1/2 cuil. à café de thym séché
- 1 cuil. à café de paprika
- 2 feuilles de laurier
- 2 cuil. à soupe de sucre

KNEIDL
- 175 g de farine
- 3/4 de cuil. à café de levure chimique
- 1/2 cuil. à café de sel
- Poivre noir moulu
- 175 g de graisse de poulet, graisse de bœuf ou margarine ramollie
- 2 cuil. à soupe de persil frais haché

☐ Faire chauffer l'huile dans une grande marmite résistant à la chaleur et à couvercle hermétique, sur feu moyen ou vif. Faire revenir les oignons 7 à 10 minutes. Ajouter l'ail et faire revenir encore 1 minute. Verser les oignons et l'ail sur une assiette ; réserver.

☐ Mettre la viande dans la même marmite et faire revenir 7 à 10 minutes jusqu'à ce que tous les morceaux soient bien dorés. Pour ne pas faire rôtir trop de morceaux en même temps, on peut être obligé d'opérer en plusieurs fois. Mettre la viande sur une autre assiette et retirer la marmite du feu, ne pas jeter le reste d'huile.

☐ Remettre les oignons et l'ail dans la marmite, bien les répartir sur le fond. Égoutter les haricots et les verser dessus, puis, couche par couche, les cubes de viande de bœuf, l'orge mondé et les pommes de terre. Saler et poivrer à volonté, saupoudrer de thym et de paprika entre les différentes couches. Ajouter les feuilles de laurier.

☐ Faire bouillir le sucre et 2 cuillerées à soupe d'eau dans une petite casserole. Laisser cuire 1 à 2 minutes jusqu'à ce que le sucre soit caramélisé. Retirer la casserole du feu, tenir à distance du visage et du corps et verser prudemment 60 ml d'eau froide (le caramel peut éclabousser). Remettre sur la plaque de la cuisinière pour liquéfier le caramel, verser ensuite dans la grande marmite.

☐ Ajouter autant d'eau que nécessaire pour que les couches de viande, de légumes et de haricots soient recouvertes d'eau, puis faire cuire sur feu vif. Écumer. Réduire un peu la température et faire mijoter 30 minutes, écumer de temps en temps. Ajouter encore un peu d'eau si nécessaire, afin que tous les ingrédients restent couverts.

☐ Préparer la *kneidl*. Préchauffer le four (100 °C). Passer la farine, la levure, le sel et le poivre dans une terrine. Ajouter la graisse de poulet, la graisse de bœuf ou la margarine coupée en petits morceaux. Ajouter le persil haché et 4 à 6 cuillerées à soupe d'eau froide ; travailler le tout pour obtenir une pâte molle. Former une grosse boule ou une grande saucisse.

☐ Poser la boule sur les ingrédients et appuyer légèrement. Bien fermer la marmite et mettre à four très doux 10 à 12 heures ou toute la nuit. Servir le tcholent dans la marmite, couper la boule en tranches ou disposer les tranches sur des assiettes individuelles.

CHACHLIK

POUR 6 PERSONNES

Le chachlik, le chiche-kebab et le kebab sont faits avec de la viande d'agneau ou de bœuf, grillée sur des brochettes. Griller sur des brochettes, un brasero ou à même un feu était vraisemblablement une des méthodes les plus naturelles pour apprêter la viande. C'est une tradition dans les pays de l'ancienne Union soviétique, dans les Balkans et au Proche-Orient ; sa forme moderne, le barbecue, est très populaire en Israël et aux États Unis. En Israël, de nombreux états proposent des morceaux d'agneau marinés sur des brochettes ; à New York, beaucoup d'émigrants russo-juifs vendent désormais du chachlik aux côtés des vendeurs de hot-dog ! On sert ces brochettes avec du riz et de la salade israélienne (voir page 89).

MARINADE
- 175 ml d'huile d'olive
- 125 ml de jus de citron
- 125 ml de vin rouge sec ou de sherry sec
- 2 à 3 cuil. à soupe de romarin frais haché ou 1 cuil. à soupe de romarin séché
- 1/2 petit oignon finement haché ou râpé
- 4 à 6 gousses d'ail épluchées et finement hachées
- 1 cuil. à café de sel

- Poivre noir moulu
- 1/2 cuil. à café de piment rouge séché et émietté (facultatif)
- 1,8 kg d'épaule d'agneau désossée, débarrassée de la graisse visible et coupée en gros dés de 5 cm
- 4 petits oignons avec leurs racines, coupés en huit
- 500 g de tomates cerises
- 2 poivrons jaunes ou rouges, épépinés et coupés en carrés de 2,5 cm
- Brins de romarin frais pour garnir

☐ Mettre les ingrédients de la marinade dans une grande terrine plate non métallique et remuer jusqu'à ce qu'ils soient bien mélangés. Incorporer les dés d'agneau et les retourner pour qu'ils soient imprégnés d'huile de toutes parts. Recouvrir, mettre au réfrigérateur 6 heures ou pendant toute la nuit. Retourner de temps en temps.

☐ Suspendre une grille à environ 12,5 cm au-dessus des braises ou des charbons ardents.

☐ Enfiler les dés de viande sur les brochettes, laisser un peu d'espace entre les morceaux afin que la viande puisse rôtir complètement. Enfiler des morceaux d'oignon, des tomates cerises et des morceaux de poivron sur d'autres brochettes et les badigeonner de marinade.

☐ Déposer les brochettes d'agneau sur le gril, faire griller 17 à 20 minutes en badigeonnant de temps à autre avec la marinade. Au bout d'une dizaine de minutes, mettre les brochettes de légumes sur le gril et les faire griller 8 à 10 minutes en les retournant de temps à autre et en les badigeonnant avec la marinade.

☐ Disposer les brochettes sur un grand plat de service et décorer avec du romarin frais. Servir avec du riz, de la salade israélienne ou toute autre garniture.

À JÉRUSALEM, LA TRADITION VEUT QUE L'ON PRIE DEVANT LE MUR DES LAMENTATIONS LE JOUR DU SABBAT.

AGNEAU FARCI DE PESSAH

POUR 6–8 PERSONNES

Dans certaines communautés juives, on ne mange pas d'agneau pour Pessah ; mais au Proche-Orient et dans des pays comme l'Angleterre, où l'on produit de la viande d'agneau, c'est une tradition. Les Séfarades aiment manger de l'agneau pour Pessah, parce que la viande d'agneau est excellente au printemps. Comme pour les autres sortes de viande, les quartiers postérieurs ne sont pas casher, on préférera donc l'épaule. On demandera au boucher de retirer les pattes et de découper une poche pour la farce.

FARCE
- 1 cuil. à soupe d'huile d'olive ou d'huile végétale
- 1 oignon finement haché
- 2 gousses d'ail épluchées et finement hachées
- 250 g de hachis d'agneau maigre
- 100 g de riz à long grain
- Sel
- Poivre noir moulu
- 1/2 cuil. à café de cumin moulu
- 1/8 de cuil. à café de curcuma
- 1 cuil. à soupe de coriandre fraîche hachée

- 60 g de noix ou d'amandes hachées
- 90 g de raisins secs
- 100 g d'abricots secs hachés
- 1 œuf battu

- 1 épaule d'agneau de 1,8 à 2,25 kg, désossée et dégraissée, avec une poche
- 2 cuil. à soupe d'huile d'olive
- 2 cuil. à soupe de miel
- 2 cuil. à soupe d'arrow-root
- 250 ml de bouillon de bœuf ou de poulet
- 1 cuil. à soupe de vinaigre de cidre
- Cresson frais pour garnir

☐ Préparer la farce. Faire chauffer l'huile dans une poêle, sur feu doux ou moyen. Faire blondir les oignons. Ajouter l'ail et faire cuire encore 1 minute.

☐ Ajouter le hachis d'agneau et le faire revenir 4 à 5 minutes, en remuant un peu avec une fourchette jusqu'à ce que la viande ait perdu sa couleur rose. Ajouter le riz, mélanger et faire cuire 5 minutes jusqu'à ce que les grains de riz soient dorés et translucides. Verser 75 ml d'eau bouillante, assaisonner avec sel, poivre, curcuma et cumin. Couvrir et laisser mijoter 12 à 15 minutes sur feu moyen jusqu'à ce que le riz soit à point et que le liquide ait disparu. Retirer du feu, laisser refroidir un peu. Ajouter la coriandre, les noix, les raisins secs, les abricots et l'œuf battu, mélanger.

☐ Préchauffer le four (180 °C). Poser la viande, la peau sur le dessous, sur une planche à découper. Saler et poivrer à volonté. Répartir la farce sur la viande. Laisser tout autour un bord de 2,5 cm. Rouler la viande aussi régulièrement que possible sur elle-même et lier le tout avec du fil de cuisine tous les cinq centimètres. Badigeonner la viande avec de l'huile d'olive, saler, poivrer.

☐ Poser la viande, le côté ouvert sur le dessous, sur un petit gril placé dans un plat à rôtir. Faire cuire 20 minutes par livre de viande. Environ 20 minutes avant la fin de la cuisson, badigeonner avec du miel et remettre au four.

☐ Disposer l'agneau sur un plat de service, couvrir avec une feuille de papier d'aluminium, tenir au chaud et laisser reposer 15 minutes.

☐ Entre-temps, sortir le gril du plat à rôtir et enlever la graisse, à l'exception de 2 cuillerées à soupe. Verser l'arrow-root, 60 ml d'eau, le bouillon et le vinaigre dans le plat. Porter à ébullition, réduire la température et laisser mijoter la sauce 7 à 10 minutes en remuant vivement jusqu'à ce qu'elle soit homogène et légèrement épaisse.

☐ Verser la sauce dans une terrine. Décorer l'agneau avec du cresson.

CES DEUX JUIFS SÉFARADES PORTENT DES *PEYOT* (BOUCLES SUR LES TEMPES).

POISSONS

GEFILTE FISCH

CURRY DE POISSON

SAUMON À L'AVOCAT ET À L'ANETH

POISSON FRIT « À LA JUIVE »

PAGEOT À LA SAUCE VERTE

TRUITE AUX GRENADES

POISSON À L'AIGRE-DOUX

GEFILTE FISCH

POUR 6 PERSONNES

Le nom *gefilte fisch* vient de l'allemand « gefüllter Fisch » ou poisson farci ; à l'origine, on fourrait en effet un mélange de poisson haché dans un poisson auquel on avait enlevé la peau et les arêtes, et l'on faisait cuire le tout sur feu doux. En refroidissant, le bouillon se gélifiait et était servi avec le plat ou séparément. Aujourd'hui, on fait généralement des boulettes avec cette pâte à base de poisson, puis on les fait cuire dans du bouillon. Ce mets est également fort appétissant dans un moule en forme de couronne, et cuit au four ou même au four à micro-ondes ! Naturellement, on n'obtient pas de gelée quand on procède de cette façon. Autrefois, on utilisait des carpes d'eau douce et du brochet pour préparer le *gefilte fisch* ; la plupart des cuisiniers actuels préfèrent toutefois un mélange de divers poissons d'eau de mer à chair blanche. Néanmoins, quel que soit le poisson employé, le *gefilte fisch* est toujours servi avec des rondelles de carotte et une sauce au raifort et aux betteraves rouges.

□ Faire des boulettes en forme d'œuf à l'aide d'une cuiller, les poser sur une plaque qu'on aura aspergée avec un peu d'eau. Travailler toute la pâte de cette manière.

□ Porter le court-bouillon à ébullition. Ajouter les rondelles de carotte et verser délicatement les boulettes de poisson dans le liquide. Réduire la température et faire cuire 1 heure à petit feu (le liquide ne doit pas bouillir).

□ Laisser refroidir le poisson dans le court-bouillon. Sortir les boulettes avec une écumoire et les déposer sur un plat de service. Verser le court-bouillon sur les boulettes de poisson, poser une rondelle de carotte sur chaque boulette, placer le reste de carottes tout autour. Mettre au réfrigérateur 4 heures ou toute la nuit. Garnir avec du persil et des rondelles de citron, servir avec une sauce au raifort et aux betteraves rouges.

FUMET DE POISSON
- 1,4 à 1,8 kg d'arêtes et de têtes de poisson (poissons à chair blanche uniquement), bien nettoyées
- 2 oignons coupés en rondelles
- 1 carotte coupée en rondelles
- 1 branche de céleri, coupée en tranches
- 1 poireau, coupé dans le sens de la longueur, puis en rondelles
- 4 brins de persil frais
- 1 cuil. à café de sel
- 1 cuil. à café de grains de poivre noir
- 2 brins de thym frais (facultatif)

PÂTE DE POISSON
- 1,4 kg de filets de poisson à chair blanche tels que cabillaud, petite

friture, daurade (on peut aussi ajouter une petite carpe ou un petit brochet)
- 2 oignons coupés en quartiers
- Sel
- 3 œufs battus
- 1/2 cuil. à café de poivre blanc moulu
- 1/4 de cuil. à café de muscade en poudre (facultatif)
- 60 g de farine à matzot moyenne
- 1 carotte coupée en minces rondelles
- Persil frais et rondelles de citron pour garnir
- Sauce au raifort et aux betteraves rouges (voir page 15)

□ Préparer le court-bouillon. Mettre tous les ingrédients nécessaires dans une grande marmite. Recouvrir d'eau froide et porter à ébullition. Écumer. Réduire la température et faire cuire pendant 20 minutes. Filtrer le fumet de poisson dans une passoire, au-dessus d'une grande terrine ou d'une cocotte. Réserver.

□ Préparer la pâte de poisson. Passer le poisson et les oignons au mixeur (éventuellement en plusieurs fois). Ajouter 1 1/2 cuillerée à café de sel, les œufs, le poivre et la muscade, mélanger.

□ Ajouter la farine de matzot ; verser peu à peu 60 ml d'eau. Le mélange doit être léger et un peu collant, mais conserver sa forme. Couvrir et mettre 30 minutes au réfrigérateur.

CURRY DE POISSON

POUR 6 PERSONNES

Cette recette a été inventée par une colonie israélite qui vivait à Cochin, dans le sud de l'Inde. Cochin se trouve sur la côte de Kerala, où il y a beaucoup de poisson frais et un célèbre marché aux épices. Ce plat est excellent avec du riz.

- 1 cuil. à soupe d'huile végétale
- 1 oignon coupé en deux, puis en minces rondelles
- 2 à 3 gousses d'ail finement hachées
- 1 kg de filets de poisson à chair blanche tels que cabillaud, flétan ou petite friture, coupés en morceaux de 7,5 cm de long
- 45 g de feuilles de coriandre finement hachées
- 1 cuil. à soupe de vinaigre de vin rouge ou de vin blanc
- 4 cuil. à soupe de concentré de tomates
- 1 cuil. à café de cumin en poudre
- 1/2 cuil. à café de curcuma
- 1 petit piment rouge frais ou 1/2 piment rouge séché et émietté
- Coriandre fraîche pour décorer
- Riz cuit à l'eau pour servir

☐ Faire chauffer l'huile dans une grande poêle, sur feu moyen ou vif. Faire revenir les rondelles d'oignon 3 à 5 minutes. Ajouter l'ail et faire cuire encore 1 minute.

☐ Ajouter le poisson et faire cuire 4 à 5 minutes jusqu'à ce qu'il soit ferme et opaque. Incorporer délicatement les autres ingrédients, sauf la coriandre et le riz. Ajouter 125 ml d'eau, couvrir et laisser mijoter 15 minutes. Le poisson doit se détacher en morceaux dès qu'on le touche avec la pointe du couteau.

☐ Disposer les filets de poisson sur un plat de service. Faire réduire la sauce 2 à 3 minutes sur feu vif. Verser sur les filets de poisson. Garnir avec des brins de coriandre et servir avec du riz chaud.

SAUMON À L'AVOCAT ET À L'ANETH

POUR 12–14 PERSONNES

Ce poisson entier, cuit dans une feuille de papier d'aluminium, est un plat idéal pour une réception ou une fête. Il peut être servi chaud ou froid et est casher pour Pessah. Pour cuire un poisson à l'étuvée, il faut un grand plat à poisson ou une poissonnière, mais on obtient également de bons résultats en passant le poisson au four. Si le poisson est trop grand pour la plaque, on peut le couper en deux et rassembler les deux morceaux au moment de servir. Le poisson est excellent quand il est servi à température ambiante, ce qui est très pratique car on a ainsi suffisamment de temps pour le garnir et préparer sauces et garnitures.

- 1 saumon entier de 2,25 à 2,7 kg (ou plusieurs truites saumonées), vidé, mais avec sa tête et sa queue
- Sel
- 1 citron en rondelles
- 4 à 5 oignons de printemps (ciboules) coupés dans le sens de la longueur
- 3 à 4 brins de persil frais
- 3 à 4 brins d'aneth frais
- Huile végétale
- Minces rondelles de concombre (facultatif)
- Feuilles de salade, brins d'aneth

frais et rondelles de citron pour garnir

SAUCE À L'AVOCAT ET À L'ANETH
- 1 gros avocat
- 6 brins d'aneth frais
- 1/2 cuil. à café de sel
- 4 jaunes d'œuf
- Poivre noir moulu
- 60 ml de jus de citron ou de vinaigre de cidre ou moitié-moitié
- 125 g de beurre mou ou de margarine
- Poivre de Cayenne

☐ Préchauffer le four (180 °C). Passer l'intérieur et l'extérieur du poisson sous l'eau froide sans le sécher. Saupoudrer la cavité avec du sel et la remplir de citron, d'oignons blancs (ciboules), de persil et d'aneth.

☐ Graisser légèrement une grande feuille de papier d'aluminium suffisamment longue pour envelopper le poisson, et la poser sur la plaque, dans le sens de la longueur. Disposer le poisson au milieu. Replier les deux grands côtés de la feuille sur le poisson pour qu'ils se chevauchent, puis plier les petits côtés de la feuille de façon à former une grande enveloppe pas trop serrée autour du poisson.

☐ Faire cuire le poisson dans la feuille de papier d'aluminium pendant 1 heure. Laisser refroidir environ 15 minutes. Ouvrir la feuille avec précaution et conserver le jus, si l'on veut faire une sauce, ou le jeter.

☐ Découper le poisson le long de l'arête avec un long couteau mince. Commencer du côté de la tête, détacher la peau et retirer les nageoires ; terminer par la queue. Gratter la mince couche de chair brune, au milieu du poisson.

☐ Poser délicatement un plat de service sur le poisson découpé, maintenir le poisson et la plaque contre le plat, retourner le tout, de façon que le côté sans peau se trouve sur le plat. Enlever la peau et la chair brune de l'autre côté. Nettoyer les bords du plat.

☐ Pour servir, disposer des feuilles de salade autour du poisson et garnir avec des rondelles de concombre se chevauchant comme des écailles, ou avec des rondelles de citron et des brins d'aneth. Couvrir avec une feuille de papier d'aluminium et mettre au réfrigérateur. Servir avec une sauce à l'avocat et à l'aneth.

☐ Préparer la sauce. Couper l'avocat en deux, enlever le noyau et la peau. Passer la chair d'avocat au mixeur. La mettre dans une terrine et nettoyer grossièrement le mixer.

☐ Mettre l'aneth, le sel et le jaune d'œuf dans le mixeur et hacher le tout ; saler et poivrer à volonté.

☐ Porter à ébullition le jus de citron ou le vinaigre dans une petite casserole. Mettre le mixeur en marche, verser le liquide sur le mélange à base d'œufs et continuer à mélanger pendant 1 minute.

☐ Faire fondre du beurre ou de la margarine dans la même casserole, sur feu moyen ou vif. Mettre le mixeur en marche, verser lentement le beurre ou la margarine chaude. Arrêter le mixeur, ajouter la purée d'avocat et une prise de poivre de Cayenne ; mélanger encore 1 minute. Goûter la sauce, la verser dans une saucière. Mettre au réfrigérateur jusqu'au moment de servir.

> **CONSEIL**
>
> SERVIR LE POISSON FROID
> OU À TEMPÉRATURE AMBIANTE.
> S'IL A ÉTÉ PRÉPARÉ À L'AVANCE,
> LE SORTIR DU RÉFRIGÉRATEUR
> 2 À 3 HEURES AVANT DE SERVIR.

POISSON FRIT « À LA JUIVE »

POUR 6 PERSONNES

Cette recette de poisson frit a été inventée au XVIᵉ siècle par des Juifs séfarades. Il s'agit là d'un repas du vendredi soir apprécié dans beaucoup de familles juives. Comme ce poisson est meilleur froid que chaud, il est tout particulièrement indiqué pour le dîner du sabbat, car il peut être préparé pendant la journée. Le poisson doit être frit dans de l'huile et non dans du beurre, et mis au frais, mais pas au réfrigérateur, afin de rester croustillant plus longtemps. Pour paner, on utilisera un mélange constitué de 50 % de farine à matzot fine et de 50 % de farine à matzot moyenne.

- 1,4 kg de filets ou tranches de flétan, saumon, hareng ou diverses sortes de poisson
- Sel
- 90 g de farine
- 2 œufs battus
- 1/4 de cuil. à café de poivre noir moulu
- 125 g de farine à matzot
- Huile végétale pour la friture
- Quartiers de citron et persil pour garnir

☐ Passer les filets ou tranches de poisson sous l'eau froide, saler légèrement. Les poser dans une passoire et les laisser s'égoutter 30 minutes. Tamponner avec du papier absorbant.

☐ Répartir la farine, les œufs battus poivrés et la farine à matzot dans trois assiettes creuses. Rouler chaque filet de poisson dans la farine, secouer l'excédent de farine, tremper dans l'œuf battu, bien répartir, puis rouler dans la farine à matzot. Le poisson doit être entièrement enrobé de farine afin que l'humidité ne puisse pas s'échapper dans la friture.

☐ Remplir une friteuse ou une grande poêle avec environ 1,25 cm d'huile végétale et faire chauffer cette dernière à 180 °C. Y déposer plusieurs morceaux de poisson, les faire frire 4 à 5 minutes jusqu'à ce que le dessous soit doré. Retourner délicatement avec une spatule à poisson, faire frire encore 3 à 4 minutes jusqu'à ce que l'autre face soit également dorée. Égoutter sur du papier absorbant.

☐ Faire frire tous les morceaux de poisson, rajouter de l'huile si nécessaire. (Ne pas faire frire trop de morceaux de poisson en même temps, sinon la température de l'huile baisserait trop et le poisson cuirait au lieu de frire.)

☐ Disposer le poisson sur un plat de service, recouvrir et mettre au frais. Garnir avec des quartiers de citron et des brins de persil. Le poisson peut aussi être servi chaud, auquel cas on mettra les morceaux dans le four préchauffé à 180 °C jusqu'à ce que tout le poisson soit prêt ; on servira alors aussitôt.

PAGEOT À LA SAUCE VERTE

POUR 6 PERSONNES

À Mexico, on préparait autrefois du poisson ou du poulet avec une « couverture » de purée de légumes et d'herbes fines, qui permettait à la viande de rester moelleuse et tendre. À l'époque, la purée était encore faite à la main dans un mortier, mais aujourd'hui, le mixeur facilite le travail.

- Huile végétale pour graisser
- 1 pageot ou 1 rousseau de 1,4 à 1,8 kg ou des filets de loup de mer
- Jus frais de 5 citrons
- Sel
- Poivre noir moulu
- Tomates cerises, olives mûres et feuilles de coriandre fraîche pour garnir

SAUCE
- 1 romaine, débarrassée des côtes et coupée en lanières
- 1/2 concombre, épluché et épépiné
- 1 petit poivron vert, épépiné et haché
- 1 oignon rouge coupé en quatre
- 3 à 4 gousses d'ail
- 1 petit bouquet de cresson
- 4 à 5 oignons blancs de printemps (ciboules)
- 30 g de feuilles de coriandre

☐ Graisser un plat à rôtir profond. Placer le poisson au milieu du plat, le frotter avec un peu de jus de citron. Saler et poivrer à volonté. Réserver.

☐ Préparer la sauce. Passer la salade, le concombre, le poivron vert, l'oignon rouge, l'ail, le cresson, les oignons et la coriandre au mixeur avec le reste du jus de citron. Verser la sauce sur le poisson, couvrir et mettre au réfrigérateur au moins 2 heures.

☐ Préchauffer le four (180 °C). Faire cuire le poisson dans le plat découvert 20 à 25 minutes jusqu'à ce qu'il soit opaque et que la chair se défasse quand on la touche avec la pointe d'un couteau. Verser de la sauce sur le poisson au moins deux fois. Disposer le poisson sur un plat de service. Napper avec la sauce et garnir avec des tomates cerises, des olives mûres et des feuilles de coriandre.

✡

TRUITE AUX GRENADES

POUR 4 PERSONNES

Ce plat est typique de la « nouvelle cuisine juive », aujourd'hui populaire en Israël. Des viviers à truites ont été installés en Galilée et ce poisson européen classique y est très apprécié. La grenade est l'un des nombreux fruits exotiques que l'on trouve partout au Proche-Orient et qui ont une importance historique dans la cuisine juive.

- 1 grosse grenade mûre
- 1 cuil. à soupe d'huile d'olive
- 1 oignon finement haché
- 2 gousses d'ail épluchées et finement hachées
- 125 g de noix de Pécan, grossièrement hachées
- 4 cuil. à soupe de persil frais haché
- Sel
- Poivre noir moulu
- 1/4 de cuil. à café de cardamome moulue
- 2 cuil. à soupe de vinaigre de cidre
- 60 g de beurre fondu ou de margarine
- 4 truites de 300 à 375 g chacune, nettoyées et vidées
- Frisée pour garnir

☐ Couper la partie supérieure de la grenade avec un couteau affilé. Diviser le fruit en six morceaux et les séparer. Détacher avec précaution les pépins et les verser dans un bol. Réserver.

☐ Faire chauffer de l'huile dans une poêle, sur feu moyen ou vif. Faire revenir les oignons 3 à 5 minutes. Ajouter l'ail, faire revenir encore 1 minute.

☐ Verser dans la poêle les noix de pécan, le persil, le sel et le poivre à volonté, la cardamome, le vinaigre et la moitié du beurre fondu ou de la margarine. Retirer du feu. Incorporer les trois quarts des pépins de grenade.

☐ Préchauffer le four (200 °C). Graisser légèrement un grand plat à rôtir peu profond. Passer le poisson sous l'eau froide et le tamponner avec du papier absorbant. Faire deux entailles de chaque côté de chaque poisson. Introduire un quart du mélange d'oignons dans chaque poisson.

☐ Mettre les poissons dans le plat, verser goutte à goutte le reste de beurre fondu et mettre au four 12 à 15 minutes jusqu'à ce que la chair se détache facilement quand on la soulève avec la pointe d'un couteau. Disposer le poisson sur un lit de frisée et parsemer avec des pépins de grenade.

POISSON À L'AIGRE-DOUX

POUR 6 PERSONNES

En Europe orientale, le poisson à l'aigre-doux était généralement préparé avec de la carpe. En France, il est connu sous le nom de « carpe à la juive ». La tradition voulait que l'on serve la tête du poisson au maître de maison à l'occasion de Rosch Haschana, le Nouvel An juif. Dans cette recette, on emploie des filets de poisson plutôt qu'un poisson entier.

- 6 filets de carpe, brochet, saumon ou truite de 2,5 cm d'épaisseur (1,4 kg au total)
- Sel
- Poivre noir moulu
- 1 oignon coupé en minces rondelles
- 1 carotte coupée en minces rondelles
- 1 feuille de laurier
- 4 à 6 clous de girofle entiers
- 1 citron coupé en rondelles

- et épépiné
- 2 à 4 rondelles de gingembre frais
- 1 cuil. à soupe de grains de poivre noir
- 125 ml de vinaigre de vin rouge
- 125 g de sucre roux
- 90 g de raisins secs
- 4 petits biscuits au gingembre, émiettés (facultatif)
- 3 à 4 cuil. à soupe de persil frais haché
- Tranches de citron pour garnir

☐ Passer les filets de poisson sous l'eau froide, les égoutter sur du papier absorbant. Saler, poivrer et réserver.

☐ Mettre les oignons, les carottes, la feuille de laurier, les clous de girofle, les rondelles de citron, le gingembre, les grains de poivre et 900 ml d'eau froide dans une grande cocotte (pas en aluminium). Porter à ébullition, couvrir, puis laisser mijoter 15 minutes.

☐ Plonger les filets de poisson dans la cocotte, couvrir, faire cuire 10 à 12 minutes sur feu moyen ou doux jusqu'à ce que le poisson se détache de l'arête centrale et soit blanc. Soulever délicatement les filets avec une spatule à poisson et les mettre dans un grand plat en verre ou en céramique.

☐ Porter à ébullition le liquide de cuisson et le laisser mijoter 7 à 10 minutes jusqu'à ce qu'il soit réduit de moitié. Le verser dans une petite cocotte, ajouter le vinaigre, le sucre roux et les raisins secs. Laisser cuire encore 2 à 3 minutes, puis ajouter des miettes de biscuits au gingembre et du persil haché. Laisser refroidir un peu et verser la sauce sur le poisson. Laisser refroidir complètement et mettre au réfrigérateur toute la nuit. Servir frais et garnir avec des tranches de citron.

ÉTALAGE DE POISSONS FRAIS PÊCHÉS DANS LES EAUX DE LA CÔTE TURQUE

GARNITURES

BEIGNETS AUX POIREAUX

LATKES

PAIN DE CAROTTES ET DE TZIMMES POUR LE NOUVEL AN

CHOU ROUGE AIGRE-DOUX

POMMES DE TERRE À L'INDIENNE

PÂTES MAISON

KUGEL AUX NOUILLES ET AUX ÉPICES

KUGEL AUX PATATES DOUCES ET AUX PANAIS

KREPLACH

KACHA VARNISHKES

FIDELLOS TOSTADOS

RIZ INDIEN AUX TOMATES ET AUX ÉPINARDS

MAMALIGA À LA ROUMAINE

CHELOU

COUSCOUS SIMPLE ET RAPIDE

BEIGNETS AUX POIREAUX

POUR 4 PERSONNES

Le poireau est un légume traditionnel, souvent utilisé par les Juifs séfarades. Les Juifs grecs mangent ces beignets aux poireaux à l'occasion de Pessah. Ils sont délicieux avec la volaille rôtie et les plats de viande. Il existe une variante plus copieuse, avec de la viande hachée, que l'on sert comme plat principal.

- 1 kg de poireaux, coupés en deux dans le sens de la longueur et bien lavés
- 2 œufs battus
- Au moins 30 g de farine fine à matzot (farine à gâteaux)
- Sel
- Poivre noir moulu
- 1/2 cuil. à café de thym séché
- 1/4 de cuil. à café de cannelle
- Huile végétale pour la friture
- Quartiers de citron

☐ Faire cuire les poireaux dans une grande cocotte à moitié remplie d'eau, 5 à 7 minutes sur feu vif, jusqu'à ce qu'ils soient tendres. Passer sous l'eau froide.

☐ Hacher finement les poireaux sur une planche à découper. Presser dans un torchon propre pour exprimer le jus. Mettre dans une grande terrine.

☐ Incorporer les œufs battus, la farine à matzot, le sel et le poivre, le thym et la cannelle ; bien mélanger. La pâte doit être assez molle ; ajouter un peu de farine à matzot ou d'eau si nécessaire.

☐ Faire chauffer environ 2,5 cm d'huile dans une grande cocotte, sur feu moyen ou vif ; les beignets doivent être recouverts. Verser la pâte peu à peu dans l'huile chaude, laisser frire 2 minutes jusqu'à ce que le dessous des beignets soit doré. Retourner et faire frire encore 1 minute jusqu'à ce que l'autre face soit dorée.

☐ Disposer sur un plat de service et tenir au chaud au four (150 °C). Travailler toute la pâte, rajouter un peu d'huile si nécessaire. Servir aussitôt avec des quartiers de citron.

LATKES

POUR 6–8 PERSONNES

Les *latkes* sont très connues et très appréciées dans les communautés juives. Ces crêpes de pommes de terre frites dans l'huile sont de rigueur à Hanouka, la fête des Lumières, parce qu'elles symbolisent le miracle de l'huile. Elles sont excellentes avec les volailles rôties telles que canard ou oie, mais peuvent également être servies au brunch comme plat principal avec du sucre en poudre, de la compote de pommes ou de la crème fraîche.

- 6 pommes de terre moyennes, épluchées
- 1 oignon
- 2 œufs battus
- 60 g de farine à matzot ou de farine sans levure
- 1 cuil. à café de sel
- 1 prise de poivre blanc moulu
- Huile végétale pour la friture
- Compote de pommes ou crème fraîche

☐ Râper finement les pommes de terre et les oignons dans un robot ménager. Égoutter dans une passoire et exprimer le plus possible de liquide. Mettre dans une grande terrine et incorporer les autres ingrédients, sauf l'huile et la garniture. Travailler le plus rapidement possible afin que les pommes de terre ne noircissent pas.

☐ Faire chauffer dans une cocotte, sur feu moyen ou vif, environ 2,5 cm d'huile, soit la quantité nécessaire pour que les *latkes* soient recouvertes. Verser la pâte peu à peu dans l'huile chaude et faire frire 2 minutes jusqu'à ce que le dessous soit doré. Retourner et faire frire encore 1 à 2 minutes jusqu'à ce que l'autre face soit dorée.

☐ Disposer sur un plat de service et tenir chaud au four (150 °C). Procéder de la même manière avec le reste de pâte et ajouter de l'huile si nécessaire. Servir aussitôt avec de la compote de pommes ou de la crème fraîche.

PAIN DE CAROTTES ET DE TZIMMES POUR LE NOUVEL AN

POUR 8–10 PERSONNES

À cause de leur belle couleur dorée, les carottes sont le symbole de
la prospérité et de l'espoir ; on les sert donc pour Rosch Haschana,
le Nouvel An. Elles constituent souvent la base d'un t*zimmes*
sans viande, d'un ragoût ou d'un pouding.
Le mot yiddish t*zimmes* signifie « fouillis », « gâchis ».
Ce plat est en effet compliqué, mais il en vaut la peine et peut être
préparé à l'avance. Cette variante est basée sur les ingrédients
traditionnels – carottes et artichauts blanchis,
servis avec une sauce au beurre. C'est là une recette idéale
pour un grand dîner de vacances.

- 2 poireaux, coupés en deux dans le sens de la longueur et bien lavés
- 2 grosses carottes, cuites et écrasées
- 1 grosse patate douce, cuite et écrasée
- 2 cuil. à soupe de margarine neutre, fondue, ou d'huile végétale
- 2 cuil. à soupe de miel
- 1 cuil. à soupe de jus de citron
- Sel
- Poivre noir moulu
- 1/4 de cuil. à café de poivre de Cayenne
- 1/4 de cuil. à café de muscade moulue
- 4 oignons de printemps (ciboules) finement hachés
- 4 œufs
- 2 jaunes d'œufs
- 2 grosses pommes de terre cuites et écrasées
- 425 g de pruneaux dénoyautés, trempés 10 à 15 minutes dans de l'eau chaude
- Persil frais et tranches de citron pour garnir

☐ Mettre de l'eau dans une grande marmite et porter à ébullition. Y plonger
les poireaux et les faire cuire 1 à 2 minutes jusqu'à ce qu'ils soient tendres et
aient une belle couleur lumineuse. Jeter l'eau de cuisson, passer sous l'eau
froide pour stopper la cuisson et conserver la couleur. Les étaler sur un
torchon propre en séparant les lanières blanches et vertes, bien égoutter et
sécher. Mettre de côté.

☐ Mettre les carottes et les patates douces écrasées dans une grande terrine
avec la margarine fondue ou l'huile, le miel, le jus de citron, le sel et le poivre,
le poivre de Cayenne, la muscade et la moitié des oignons de printemps
hachés.

☐ Battre les deux œufs et un jaune d'œuf dans un bol. Incorporer à la
préparation carottes-patates douces. Réserver.

☐ Mettre les pommes de terre écrasées dans une autre terrine. Saler et poivrer,
ajouter le reste d'oignons tendres. Battre les deux œufs et le jaune d'œuf
restants dans un autre bol. Verser sur la préparation pommes de terre-oignons,
bien mélanger.

☐ Préchauffer le four (190 °C). Graisser légèrement un moule (23,5 x 12,5 cm
x 7,5 cm) ou une terrine allongée. Placer les bandes de poireaux en travers du
moule, de façon qu'elles se chevauchent en alternant les extrémités supérieures
et inférieures, afin que le moule soit garni de bandes blanches et vertes. Laisser
pendre les extrémités de chaque côté du moule.

☐ Jeter l'eau des pruneaux, tamponner ces derniers avec du papier absorbant.
Verser la moitié du mélange carottes-patate douce et égaliser la surface.
Disposer un tiers des pruneaux sur ce mélange, tout en espaçant les fruits.
Recouvrir avec la moitié du mélange pommes de terre-oignons et égaliser la
surface. Disposer un autre tiers de pruneaux sur cette couche. Remplir le
moule avec une autre couche de carottes-patate douce, une autre couche de
pruneaux et une autre couche de pommes de terre-oignons.

☐ Replier les extrémités des bandes de poireau vers l'intérieur pour recouvrir
le mélange, bien fermer le moule avec une feuille de papier d'aluminium.

☐ Placer le moule dans un plat à rôtir plus grand. Remplir ce dernier
d'environ 4 cm d'eau chaude. Faire cuire 1 heure et quart ; si on plonge un
couteau dans le mélange, il doit en ressortir propre. Ajouter de l'eau dans le
bain-marie, si nécessaire.

☐ Sortir le moule du bain-marie, sécher le dessous du moule. Poser sur une
assiette et lester avec un poids pendant la nuit.

☐ Démouler la préparation et la couper en tranches minces : passer
le couteau tout autour du moule, secouer légèrement ce dernier, puis renverser
la terrine sur un plat de service. Servir frais, après avoir garni les tranches avec
des brins de persil et des tranches de citron.

CONSEILS

POUR METTRE UN POIDS
SUR LE PAIN, DÉCOUPER UN MORCEAU
DE CARTON MINCE DE LA MÊME
GRANDEUR. L'ENVELOPPER
AVEC UNE FEUILLE DE PAPIER
D'ALUMINIUM ET LE PRESSER
SUR LA TERRINE. POSER DEUX
BOÎTES DE CONSERVE PLEINES
SUR LE CARTON, METTRE AU
RÉFRIGÉRATEUR TOUTE LA NUIT.
COUPER LE PAIN AVEC UN COUTEAU
AFFILÉ À LAME MINCE QUE L'ON LAVERA
À L'EAU CHAUDE ET SÉCHERA AVANT
DE COUPER CHAQUE TRANCHE.

CHOU ROUGE AIGRE-DOUX

POUR 6–8 PERSONNES

Le chou est souvent utilisé dans la cuisine juive, surtout chez les Juifs de Russie et d'Europe centrale, qui le font malheureusement cuire trop longtemps. Ce plat de chou braisé accompagne très bien les plats de viande copieux comme l'oie, le canard ou la viande braisée. Si l'on prépare ce plat avec du chou blanc, on peut le servir avec de la dinde.

- 2 cuil. à soupe d'huile végétale
- 1 oignon coupé en rondelles fines
- 2 pommes épluchées, épépinées et coupées en tranches fines
- 1 chou rouge d'environ 750 g, coupé en quatre, sans trognon et émincé
- 60 ml de vinaigre de vin rouge
- 2 à 3 cuil. à soupe de sucre roux
- 60 g de raisins de Smyrne (facultatif)
- 125 ml de bouillon de légumes ou d'eau
- Sel
- Poivre noir moulu

☐ Faire chauffer l'huile dans une grande cocotte (pas en aluminium), sur feu moyen ou vif. Faire revenir les oignons 5 à 7 minutes. Ajouter les lamelles de pommes et les faire revenir 2 à 3 minutes.

☐ Incorporer le chou rouge et les autres ingrédients. Couvrir et faire cuire 30 à 40 minutes jusqu'à ce que le chou soit tendre. Ajouter de l'eau si nécessaire. Retirer le couvercle et laisser cuire jusqu'à ce que le liquide se soit évaporé. Verser sur un plat de service.

> **CONSEIL**
>
> LE CHOU AIGRE-DOUX EST ÉGALEMENT EXCELLENT FROID. SI VOUS VOULEZ PRÉPARER CE METS AVEC DU CHOU BLANC, EMPLOYEZ DU VINAIGRE DE VIN BLANC OU DU JUS DE CITRON ET DU SUCRE BLANC.

POMMES DE TERRE À L'INDIENNE

POUR 6–8 PERSONNES

Il s'agit là d'une recette typique des Juifs de la communauté
Bene Israël de Bombay. Les petits pois sont là
pour leur belle couleur.

- 1,4 kg de pommes de terre nouvelles ou rouges, bien fermes
- 5 à 6 cuil. à soupe d'huile végétale
- Sel
- 1/2 cuil. à café de curcuma en poudre
- 1/2 cuil. à café de cumin en poudre
- 1/2 cuil. à café de piment en poudre

- 1/2 cuil. à café de piment rouge séché ou écrasé ou 1/4 de cuil. à café de poivre de Cayenne
- 1/2 cuil. de curry en poudre ou de *garam masala*
- 2 cuil. à café de jus de citron
- 150 g de petits pois (facultatif)
- Feuilles de coriandre fraîches pour garnir (facultatif)

☐ Mettre les pommes de terre dans une grande cocotte. Recouvrir d'eau froide et porter à ébullition. Laisser cuire 20 minutes jusqu'à ce qu'elles soient juste à point, mais pas plus longtemps. Jeter l'eau de cuisson, passer les pommes de terre sous l'eau froide afin qu'elles refroidissent un peu.

☐ Peler les pommes de terre et les couper en cubes de 2,5 cm. Faire chauffer 4 cuillerées à soupe d'huile dans une grande poêle, sur feu moyen ou vif. Ajouter sel, curcuma, cumin, poudre de piment, piment concassé ou poivre de Cayenne et poudre de curry ou garam masala. Bien mélanger.

☐ Incorporer les cubes de pommes de terre et remuer pour qu'ils soient bien imprégnés d'épices. Ajouter un peu d'huile si nécessaire. Verser le jus de citron et 60 ml d'eau. Couvrir et laisser mijoter 5 minutes.

☐ Retirer le couvercle, ajouter les petits pois le cas échéant. Laisser cuire encore 2 à 3 minutes jusqu'à ce que les petits pois soient chauds. Garnir avec des feuilles de coriandre avant de servir.

PÂTES MAISON

POUR 4–6 PERSONNES

Les pâtes sont présentes dans la cuisine juive du monde entier. Les Juifs d'Europe orientale servent des *lokshen* – le mot yiddish pour pâtes – pour accompagner la viande et les ragoûts, ou encore dans la soupe ou dans des poudings appelés *kugels* – à savoir des plats de pâtes cuites, enrichies avec des œufs, auxquels on ajoute des ingrédients sucrés ou salés. Les pâtes sont le plat national des Juifs italiens ; les Juifs grecs et turcs mangent des macaronis avec les plats de viande rôtis ; les Séfarades préfèrent des pâtes minces ou des vermicelles qu'ils appellent *fidellos*. Ces pâtes maison peuvent être transformées en pâtes pour la soupe et avoir toutes les formes possibles.

☐ Bien mélanger la farine, les œufs et le sel au mixeur. Ajouter 1 à 2 cuillerées à soupe de farine, laisser tourner le mixeur jusqu'à ce que la pâte prenne la forme d'une boule (si la pâte colle trop, ajouter un peu de farine). Remuer 30 secondes.

☐ Mettre la pâte sur un plan de travail légèrement fariné, la pétrir doucement jusqu'à ce qu'elle soit homogène et élastique. Recouvrir avec une terrine renversée et laisser reposer 30 minutes.

☐ Saupoudrer deux plaques avec de la farine. Couper la pâte en deux avec un couteau, travailler d'abord une moitié. Poser la pâte sur un plan de travail enfariné, l'abaisser et lui donner, si possible, la forme d'un carré de 35 cm de côté. Poser le carré de pâte sur une plaque, saupoudrer de farine, laisser sécher 25 à 30 minutes. Répéter l'opération avec la seconde moitié de pâte.

☐ Quand la pâte a un peu séché, former un roulé plat avec chaque carré. Découper des bandes de 3 mm et de 1,25 cm de large.

☐ Dérouler les nouilles, secouer pour les séparer et laisser reposer encore 1 minute. Si vous n'utilisez pas les nouilles, les mettre à sécher sur le dossier d'une chaise ou sur une barre.

☐ Faire bouillir une grande quantité d'eau salée. Y plonger les nouilles ; laisser cuire les nouilles larges environ 5 minutes, les nouilles minces environ 2 à 3 minutes. Jeter l'eau de cuisson, verser les nouilles dans du bouillon de poulet chaud ou les faire revenir dans un mélange de beurre et de fromage. Servir immédiatement.

VARIANTES

CARRÉS DE PÂTE (*PLAETSCHEN*)

PRÉPARER LA PÂTE COMME INDIQUÉ CI-DESSUS, MAIS NE PAS FAIRE DE NOUILLES. COUPER LES CARRÉS DE PÂTE EN BANDES DE 1,25 CM DE LARGE, PUIS LES BANDES EN MORCEAUX DE 1,25 CM DE LARGE POUR OBTENIR DES CARRÉS DE 1,25 CM DE CÔTÉ. FAIRE CUIRE COMME INDIQUÉ CI-DESSUS, SERVIR AVEC DE LA SOUPE.

PAPILLONS (*SHPAERTZLEN*)

ROULER LA PÂTE COMME INDIQUÉ CI-DESSUS, MAIS NE PAS FAIRE SÉCHER. COUPER LA PÂTE EN BANDES DE 2,5 CM DE LARGE, ET CELLES-CI EN MORCEAUX DE 2,5 CM DE LARGE POUR OBTENIR DES CARRÉS DE 2,5 CM DE CÔTÉ. POUR OBTENIR DES PAPILLONS, APPUYER SUR LES CARRÉS, AU MILIEU. FAIRE CUIRE COMME INDIQUÉ CI-DESSUS, SERVIR AVEC DE LA SOUPE OU AVEC UN PLAT BRAISÉ.

DÉS (*FINGERHEUTCHEN*)

PRÉPARER LA PÂTE COMME INDIQUÉ CI-DESSUS, MAIS LAISSER SÉCHER SEULEMENT 15 MINUTES. PLIER LE MORCEAU DE PÂTE DANS LE SENS DE LA LONGUEUR, DÉCOUPER LA DOUBLE COUCHE DE PÂTE AVEC UN DÉ FARINÉ OU AVEC UN TOUT PETIT EMPORTE-PIÈCE ROND. FAIRE FRIRE LES CERCLES DE PÂTE DANS DE L'HUILE À 190 °C JUSQU'À CE QU'ILS SOIENT DORÉS ET LÉGÈREMENT GONFLÉS. ÉGOUTTER SUR DU PAPIER ABSORBANT, PUIS SERVIR DANS UN CONSOMMÉ DE VOLAILLE.

- 250 g de farine
- 2 œufs
- 1/2 cuil. à café de sel

KUGEL AUX NOUILLES ET AUX ÉPICES

Le *kugel* est un pouding cuit que les Juifs d'Europe orientale apprécient beaucoup. Généralement, le *kugel* était cuit dans un moule, ou à côté d'un tcholent (voir page 59), puis servi comme garniture ou avec de petits légumes macérés dans du vinaigre. Le *kugel* aux nouilles peut également être préparé avec du sucre et des fruits frais ou secs et présenté au moment du dessert. On sert le *kugel* au fromage blanc comme garniture ou comme plat principal sucré, à l'occasion de Shavouoth (Pentecôte).

☐ Préchauffer le four (180 °C). Graisser légèrement un moule à soufflé. Bien battre le beurre et le fromage frais dans une grande terrine jusqu'à ce que le mélange soit homogène. Incorporer le fromage frais granulé et les œufs, puis, peu à peu, le lait.

☐ Ajouter le zeste et le jus de citron, les oignons tendres, les raisins secs, le sel, le poivre et la muscade. Ajouter les nouilles et bien mélanger.

☐ Verser dans un moule à soufflé, faire cuire 1 heure jusqu'à ce que le mélange soit ferme et la surface dorée. Servir chaud ou froid, dans le moule.

- 125 g de beurre ou de margarine neutre, à température ambiante
- 250 g de fromage frais, à température ambiante
- 250 g de fromage frais granulé (cottage)
- 5 œufs battus
- 450 ml de lait
- Zeste et jus d'un citron
- 2 oignons blancs de printemps (ciboules) finement hachés
- 45 g de raisins secs (facultatif)
- Sel
- Poivre noir moulu
- 1/4 cuil. à café de muscade moulue
- 250 g de nouilles aux œufs, larges ou étroites, cuites et égouttées

VARIANTE

FAIRE CUIRE LE *KUGEL* 40 À 50 MINUTES DANS UN MOULE ROND BIEN GRAISSÉ ET RENVERSER SUR UN PLAT DE SERVICE. COUPER EN MORCEAUX AVANT DE SERVIR.

KUGEL AUX PATATES DOUCES ET AUX PANAIS

POUR 6–8 PERSONNES

- 2 patates douces épluchées
- 2 carottes épluchées
- 2 panais épluchés
- 1 pomme épluchée, épépinée et coupée en quatre
- 1 oignon épluché et coupé en quatre
- 60 g de beurre, de margarine ou de margarine neutre
- Sel
- Poivre noir moulu

- 1 cuil. à café de cannelle moulue
- 1/2 cuil. à café de muscade râpée
- 60 g de sucre roux
- 4 cuil. à soupe de mélasse claire ou de mélasse raffinée
- 2 œufs battus
- 30 g de farine fine à matzot (farine à gâteaux)
- 60 ml d'huile végétale

☐ Râper les pommes de terre, les carottes, le panais et les pommes dans un robot ménager. Verser dans une grande terrine et mettre de côté.

☐ Préchauffer le four (190 °C). Faire fondre le beurre ou la margarine dans une grande cocotte, sur feu moyen ou vif. Faire revenir les oignons 2 à 3 minutes. Ajouter les légumes râpés et la pomme, faire revenir 4 à 5 minutes. Verser dans une grande terrine.

☐ Saler et poivrer à volonté, incorporer la cannelle, la muscade, le sucre roux, la mélasse ou le sirop et 60 ml d'eau. Ajouter les œufs battus et la farine à matzot.

☐ Faire chauffer l'huile dans une cocotte ou dans un moule de 22,5 x 32,5 cm. Dès que l'huile grésille, verser toute la masse dans le moule et égaliser la surface. Recouvrir avec une feuille de papier d'aluminium et faire mijoter 30 minutes. Enlever la feuille de papier d'aluminium et faire cuire encore 15 à 20 minutes jusqu'à ce que la surface soit dorée et les légumes tendres quand on y plonge la pointe d'un couteau.

Le *kugel* est certainement l'un des plats les plus exquis de la cuisine juive. Il s'agit là d'un pouding, qui peut être salé ou sucré et se mange, selon les ingrédients, comme garniture ou comme dessert. Les patates douces, les carottes et les panais sont des légumes naturellement doux. Combinés, ils donnent un gâteau de légumes qui accompagne très bien une dinde rôtie ou un canard.

KREPLACH

POUR 75 PETITES CRÊPES

Kreplach est un mot yiddish qui signifie « petite crêpe ». Ces petites crêpes sont originaires de Pologne et de Russie. Ce sont de petites poches de pâte, parfois appelées raviolis juifs. Il existe diverses formes que l'on peut fourrer avec de la viande, du poulet ou du fromage, à l'occasion de Shavouoth. La farce est généralement préparée avec le jarret de bœuf qui a servi à faire la soupe, à l'occasion de Pourim (un mois avant Pessah) ou avant le jeûne de Yom Kippour (purification), mais on peut également utiliser du hachis de bœuf.

- 250 g de bœuf cuit, haché, ou 250 g de hachis de bœuf braisé
- 1 petit oignon haché
- 1/2 cuil. à café de sel
- Poivre noir moulu
- 1 cuil. à soupe d'aneth frais haché (facultatif)
- 1 œuf
- 1 portion de pâte à nouilles (voir page 78)

CONSEILS

LES *KREPLACH* PEUVENT AUSSI ÊTRE SERVIS AUTREMENT. LES FAIRE CUIRE DANS DE L'EAU, COMME INDIQUÉ, LES RETOURNER DANS DU BEURRE OU DE L'HUILE ET LES SERVIR AVEC DU FROMAGE RÂPÉ OU DE LA SAUCE TOMATE. S'IL S'AGIT D'UN PLAT PRINCIPAL À BASE DE LAIT, FAIRE REVENIR LES *KREPLACH* DANS LA POÊLE, DANS DU BEURRE OU DE L'HUILE, AVEC UN PEU D'OIGNON HACHÉ ET LES PARSEMER DE FROMAGE.

☐ Passer la viande de bœuf et l'oignon haché dans un mixeur, mais ne pas réduire en purée. Ajouter sel et poivre à volonté, aneth et œuf, et mélanger délicatement de façon à obtenir une masse moelleuse et homogène. Verser dans une terrine et mettre au réfrigérateur avant emploi.

☐ Préparer la pâte à nouilles et l'étaler comme indiqué, mais ne pas la laisser sécher. La découper en carrés de 5 cm de côté. Mettre 1 cuillerée à café de farce au milieu de chaque carré et badigeonner les bords avec un peu d'eau. Placer le coin inférieur gauche sur le coin supérieur droit et de façon à former un triangle, bien appuyer sur les bords pour fermer la poche de pâte.

☐ Mettre sur une planche à pâtisserie farinée et travailler ainsi jusqu'à ce que toute la pâte soit épuisée. On peut préparer les kreplach à l'avance et les mettre au réfrigérateur jusqu'au moment où on les fera cuire.

☐ Faire bouillir une grande quantité d'eau. Y jeter une partie des *kreplach*, mais pas trop. Faire cuire 12 à 15 minutes. Sortir avec une écumoire, égoutter dans une passoire. Faire bouillir de nouveau l'eau et répéter l'opération jusqu'à ce que les *kreplach* soient cuits. Les *kreplach* cuits peuvent être conservés au réfrigérateur ou congelés jusqu'au moment où on les emploiera.

☐ Avant de servir, faire réchauffer les *kreplach* 10 à 12 minutes dans du bouillon de poulet ou de viande. Servir très chaud.

FARCE

BIEN MÉLANGER
- 500 G DE FROMAGE FRAIS GRANULÉ
- 2 CUIL. À SOUPE DE CRÈME FRAÎCHE
- 3 CUIL. À SOUPE DE CHAPELURE FINE OU DE FARINE À MATZOT
- SEL ET POIVRE À VOLONTÉ
- 1 CUIL. À SOUPE DE PERSIL FRAIS HACHÉ
- 1 CUIL. À SOUPE DE PETITS MORCEAUX DE CIBOULETTE
- 1 ŒUF.

METTRE AU RÉFRIGÉRATEUR JUSQU'AU MOMENT DE L'EMPLOI.

KACHA VARNISHKES

POUR 6–8 PERSONNES

La kacha, ou sarrasin grillé, est la principale céréale des Juifs russes pauvres, parce qu'elle est savoureuse et nutritive. Il existe deux variantes de ce plat. La première, qui se mange à l'occasion de Pourim, est un repas simple à base d'oignons, de kacha et de nouilles papillons. Mais la version originale est un petit chausson - ou *varnishke* - fourré avec de la kacha et des champignons.

- 175 g de kacha
- 1 œuf battu
- 1/2 cuil. à café de sel
- Poivre noir moulu
- 450 ml de bouillon de poulet, de bouillon de légumes ou d'eau

- 1 cuil. à soupe d'huile végétale
- 500 g de champignons grossièrement hachés
- 1 portion de pâte à nouilles (voir page 78)
- Beurre ou huile pour la cuisson
- Crème fraîche

☐ Mélanger la kacha et l'œuf battu dans une terrine jusqu'à ce que la kacha soit bien humectée. Mettre le mélange kacha-œuf dans une cocotte, faire cuire 3 à 5 minutes sur feu moyen ou vif jusqu'à ce que tous les grains se détachent l'un de l'autre.

☐ Saler et poivrer à volonté. Verser le bouillon de poulet, le bouillon de légumes ou l'eau, couvrir et faire cuire 10 minutes à feu doux. Ajouter un peu de liquide si nécessaire.

☐ Faire chauffer l'huile dans une poêle, sur feu moyen ou vif. Faire revenir les champignons 5 à 7 minutes jusqu'à ce qu'ils soient tendres et que la majeure partie du liquide se soit évaporée.

☐ Enlever le couvercle et remuer. Incorporer les champignons et faire cuire 3 à 5 minutes sur feu doux ou moyen, jusqu'à ce que tout le liquide ait disparu. Laisser refroidir complètement.

☐ Préparer la pâte à nouilles comme indiqué, mais l'abaisser sur 3 mm d'épaisseur et former un grand rectangle. Découper autant de cercles de pâte que possible avec un emporte-pièce de 7,5 cm de diamètre. Abaisser le reste de pâte et recommencer.

☐ Mettre 1 cuillerée à café de kascha au milieu de chaque petit cercle. Badigeonner les bords avec de l'eau et replier le cercle sur lui-même. Bien appuyer sur les bords avec une fourchette pour fermer les *varnishkes*.

☐ Faire bouillir une grande quantité d'eau. Y faire cuire les *varnishkes* 12 à 15 minutes. Verser avec précaution dans une passoire. Servir dans une soupe ou avec une sauce, ou encore faire revenir dans du beurre ou de l'huile et servir chaud, avec de la crème fraîche.

RÉCOLTE DE DATTES DANS UN KIBBOUTZ, DANS LA VALLÉE DE BETH SHEAN EN ISRAËL

> ### SUGGESTION
> ### PLUS SIMPLE
>
> PRÉPARER LA KACHA COMME INDIQUÉ CI-DESSUS (AVEC OU SANS CHAMPIGNONS). FAIRE REVENIR 3 À 5 MINUTES 1 OIGNON FINEMENT HACHÉ DANS 2 CUILLERÉES À SOUPE DE BEURRE OU D'HUILE. MÉLANGER AVEC LA KACHA ET 125 G DE NOUILLES-PAPILLON. SALER, POIVRER ET SERVIR CHAUD ; LA KACHA PEUT AUSSI ACCOMPAGNER UN PLAT DE VIANDE.

FIDELLOS TOSTADOS

POUR 6 PERSONNES

Pendant des siècles, les Juifs séfarades d'Espagne ont mangé des *fidellos*, des pâtes très fines ressemblant aux vermicelles. Ces pâtes sont également appréciées en Grèce où elles ont été introduites par les Juifs espagnols qui avaient fui l'Inquisition espagnole. On peut aussi briser ces petits rouleaux de pâte et les mélanger à du riz.

- 375 g de vermicelles ou « cheveux d'ange » en écheveaux
- 100 g de riz américain à grain long
- 60 ml d'huile d'olive
- 1 boîte de 215 g de tomates égouttées
- 450 à 750 ml de bouillon de poulet ou d'eau
- 1 cuil. à café de sel
- 1/2 cuil. à café d'origan séché
- Poivre noir moulu
- Coriandre fraîche pour garni

☐ Faire revenir les nouilles et le riz 5 à 7 minutes dans une grande poêle, sur feu moyen ou vif, en remuant régulièrement. Si les pâtes se brisent, cela n'a aucune importance.

☐ Ajouter l'huile d'olive, les tomates, le bouillon de poulet ou l'eau, le sel, l'origan et le poivre noir. Porter à ébullition, mettre sur feu moyen et laisser cuire 7 à 10 minutes en remuant fréquemment pour que les pâtes se déroulent. Réduire la température, couvrir et laisser cuire encore 10 minutes jusqu'à ce que tout le liquide ait disparu et que les pâtes et le riz soient à point. Verser dans un plat de service et garnir avec des feuilles de coriandre.

✡

RIZ INDIEN AUX TOMATES ET AUX ÉPINARDS

POUR 6 PERSONNES

C'est un plat de riz, doux et très aromatique, de la communauté juive Bene Israël, aux environs de Bombay. On emploiera des feuilles d'épinards aussi jeunes et aussi fraîches que possible. La poudre *dhana-jeera* est un mélange de graines de coriandre et de cumin, grillées et moulues, que l'on trouve dans les épiceries indiennes.

- 3 cuil. à soupe d'huile végétale
- 1 oignon coupé en deux, puis en lamelles fines
- 425 g de riz basmati ou de riz américain à grain long, lavé et trempé 30 minutes dans l'eau froide
- 300 g de petites feuilles d'épinards, cuites et pressées, ou 300 g d'épinards surgelés, décongelés et pressés
- 2 tomates moyennes, épluchées, épépinées et coupées en dés
- 1/4 de cuil. à café de curcuma
- 1 cuil. à café de poudre *dhana-jeera* (voir ci-dessus) ou 3/4 de cuil. à café de coriandre moulue et 1/4 de cuil. à café de cumin moulu
- Sel
- Poivre noir moulu

☐ Faire chauffer l'huile dans une grande cocotte, sur feu moyen ou vif. Faire revenir les oignons. Bien égoutter le riz et l'incorporer aux oignons. Faire cuire 1 à 2 minutes sans cesser de remuer, jusqu'à ce que le riz soit translucide et commence à prendre couleur.

☐ Ajouter les épinards, les tomates, le curcuma et la poudre *dhana-jeera* ou la coriandre et le cumin. Saler et poivrer à volonté.

☐ Ajouter 450 ml d'eau et remuer. Faire bouillir le mélange de riz, bien fermer la marmite et mettre sur feu doux. Faire cuire 25 minutes jusqu'à ce que l'eau soit complètement absorbée et que le riz soit à point.

☐ Retirer le couvercle et remuer délicatement le riz avec une fourchette. Ne pas gratter la couche inférieure qui a peut-être formé une croûte. Couvrir et laisser cuire encore 10 minutes. Verser le riz dans un plat de service avec une cuiller ; détacher la croûte brune croustillante du fond et en garnir le riz. Servir chaud.

✡

MAMALIGA À LA ROUMAINE

POUR 6–8 PERSONNES

Ce plat classique à base de farine de maïs est typique chez les Juifs roumains et ressemble à la polenta nord-italienne. Il est facile à préparer et constitue une garniture idéale pour les plats comme la viande braisée traditionnelle, à la sauce à l'oignon (voir page 58). Si l'on ajoute du fromage frais granulé, on obtient un plat principal à base de lait. À l'origine, ce plat était préparé avec du *brunza alba*, un fromage roumain, mais le fromage blanc et le fromage frais granulé (cottage) sont de bons succédanés.

- 300 g de farine de maïs ou de polenta
- 1 cuil. à café de sel
- 4 cuil. à soupe de beurre ou d'huile (facultatif)
- 500 g de fromage blanc ou de fromage frais granulé (cottage), égoutté et pressé à travers une passoire

☐ Mélanger la farine de maïs ou la polenta avec 250 ml d'eau froide dans une terrine. Faire bouillir 900 ml d'eau dans une grande marmite. Ajouter du sel, verser peu à peu la farine de maïs. Remuer constamment, afin qu'il n'y ait pas de grumeaux.

☐ Faire cuire 20 à 35 minutes sur feu doux ou moyen sans cesser de remuer avec une cuiller en bois, jusqu'à ce que la farine de maïs soit moelleuse et que le liquide ait complètement disparu. Retirer du feu, ajouter le beurre ou

l'huile à volonté, le fromage blanc ou le fromage frais granulé. Verser dans une terrine et servir aussitôt.

> **VARIANTE**
>
> FAIRE CUIRE LA FARINE DE MAÏS DANS 750-900 ML D'EAU, COMME INDIQUÉ CI-DESSUS, AJOUTER SEULEMENT 2 CUILLERÉES À SOUPE DE BEURRE OU D'HUILE. RÉPARTIR RÉGULIÈREMENT SUR UNE GRANDE PLAQUE OU DANS UN MOULE MÉTALLIQUE RECTANGULAIRE, LAISSER REFROIDIR. QUAND LA MAMALIGA EST FERME, LA RENVERSER SUR UN PLAN DE TRAVAIL ET LA COUPER EN CARRÉS. FAIRE REVENIR 3 À 5 MINUTES DANS DU BEURRE FONDU OU DANS DE L'HUILE, OU BADIGEONNER AVEC DU BEURRE FONDU OU DE L'HUILE, PASSER 3 À 5 MINUTES SOUS LE GRIL PRÉCHAUFFÉ JUSQU'À CE QUE LES MORCEAUX SOIENT CHAUDS ET AIENT PRIS UNE BELLE COULEUR. SERVIR AVEC DE LA VIANDE RÔTIE OU UN RAGOÛT DE LÉGUMES.

RIZ INDIEN AUX TOMATES ET AUX ÉPINARDS

CHELOU

POUR 6–8 PERSONNES

Le *chelou* est un plat simple à base de riz vapeur, qui est cuit au four ou préparé sur la cuisinière, afin qu'une croûte se forme au fond de la marmite, alors que le reste du riz reste léger. C'est un plat iranien qu'apprécient Juifs et non-Juifs et que l'on sert généralement à l'occasion de Rosh Haschana. Le *chelou* sert également de base à beaucoup d'autres plats, dans lesquels il est combiné avec de la viande, des légumes ou un ragoût d'herbes séchées et de viande. Le fond de la marmite est parfois recouvert d'une mince couche de pommes de terre.

- 1 cuil. à café de sel
- 425 g de riz basmati ou d'autre riz à grain long, lavé et trempé 30 minutes dans de l'eau froide
- 4 cuil. à soupe d'huile ou 2 cuil. à soupe d'huile et 2 cuil. à soupe de beurre

☐ Faire bouillir au moins 2 l d'eau salée dans une grande cocotte. Verser le riz dans une passoire, le passer sous l'eau froide jusqu'à ce que l'eau soit claire. Jeter le riz dans l'eau bouillante et le faire cuire 7 à 10 minutes jusqu'à ce que les grains de riz soient presque à point extérieurement, mais encore durs à l'intérieur. Remuer de temps à autre, mais veiller à ce que les grains de riz restent intacts. Égoutter le riz, le passer sous l'eau chaude pour enlever l'amidon. Bien égoutter.

☐ Faire chauffer 2 cuillerées à soupe d'huile et 60 ml d'eau dans une deuxième cocotte, sur feu moyen ou vif. Verser le riz dans la cocotte avec une cuiller, secouer la cocotte pour que le riz soit bien réparti. Recouvrir le riz avec un torchon propre ou une double couche de papier absorbant. Bien couvrir la cocotte et mettre à feu doux. Faire cuire 15 minutes, enlever le couvercle et le torchon, faire plusieurs trous dans le riz avec le manche d'une cuiller en bois, afin que la vapeur puisse s'échapper.

☐ Mélanger les 2 cuillerées d'huile restantes avec 2 cuillerées à soupe d'eau et verser le tout, goutte à goutte, sur le riz (pour le beurre, voir la variante), recouvrir avec un torchon ou du papier absorbant. Bien fermer la cocotte, laisser cuire encore 10 à 15 minutes.

☐ Ouvrir la cocotte, enlever le torchon ou le papier absorbant. Remuer délicatement le riz avec une fourchette, sans gratter la couche inférieure. Mettre le riz dans un plat de service à l'aide d'une cuiller, gratter la croûte au fond et la poser sur le riz. La tradition veut que l'on serve les morceaux croustillants aux invités d'honneur !

VARIANTE

QUAND ON UTILISE DU BEURRE POUR UN METS À BASE DE LAIT, IL FAUT LE FAIRE FONDRE AVEC 2 CUILLERÉES À SOUPE D'EAU ET CONTINUER COMME INDIQUÉ CI-DESSUS. SI ON VEUT PRÉPARER LE RIZ AVEC UNE COUCHE DE POMMES DE TERRE, ON LE PRÉPARERA COMME INDIQUÉ CI-DESSUS ET ON FERA CHAUFFER L'HUILE (OU LE BEURRE) AVEC DE L'EAU. RECOUVRIR LE FOND DE LA CASSEROLE AVEC DEUX POMMES DE TERRE MOYENNES, ÉPLUCHÉES ET COUPÉES EN TRANCHES DE 5 MM D'ÉPAISSEUR. RECOUVRIR LES POMMES DE TERRE DE RIZ ET CONTINUER COMME INDIQUÉ CI-DESSUS. ON OBTIENDRA AINSI UNE CROÛTE CONSTITUÉE DE POMMES DE TERRE ET D'UN PEU DE RIZ.

✡

COUSCOUS SIMPLE ET RAPIDE

POUR 4 PERSONNES

Le couscous, ou fine semoule de blé, est un aliment essentiel de la cuisine des Juifs nord-africains. Il se mange comme le riz au Proche-Orient ou comme les pâtes en Italie. Alors qu'il fallait beaucoup de temps pour le préparer autrefois, on a aujourd'hui recours au couscous vite cuit, plus rapide et plus pratique. Le couscous est délicieux, seul ; il accompagne aussi très bien l'agneau, le bœuf ou un ragoût de légumes. En Afrique du Nord, le couscous est cuit à la vapeur dans un appareil spécial, le couscoussier. Il est préparé au-dessus d'un ragoût à l'étuvée, puis servi avec la viande ou les légumes.

☐ Préparer le couscous conformément au mode d'emploi. Réserver.

☐ Faire chauffer l'huile dans une poêle, sur feu moyen ou vif. Faire revenir l'oignon 3 à 5 minutes. Ajouter l'ail et faire revenir encore 1 minute. Saler et poivrer à volonté, ajouter la sauce au poivre rouge ou le poivre de Cayenne, le paprika et le persil haché, la coriandre ou la menthe. Retirer du feu et mélanger avec le couscous. Servir chaud.

- 250 g de couscous à cuisson rapide
- 2 cuil. à soupe d'huile d'olive
- 1 petit oignon finement haché
- 2 gousses d'ail finement hachées
- Sel
- Poivre noir moulu
- 1 cuil. à café de sauce au poivre rouge ou 1/2 cuil. à café de poivre de Cayenne
- 1 cuil. à café de paprika
- 2 cuil. à soupe de persil frais haché, de coriandre ou de menthe

DESSERTS

COMPOTE DE FRUITS D'ÉTÉ

COINGS CUITS AU FOUR

COMPOTE DE FRUITS SECS

SORBET À L'ORANGE

POUDING DE LOKSHEN AUX FRUITS

POUDING DE MATZOTS

FRUITS EXOTIQUES AUX DATTES

✡

SALADE ISRAÉLIENNE

POUR 4 PERSONNES

En Israël, cette simple salade, à base de légumes frais coupés en dés et d'huile d'olive, accompagne souvent poulet et viande dans la pita ; elle est même servie au petit-déjeuner dans certaines familles. On peut utiliser n'importe quel légume, mais la salade doit contenir des tomates et des concombres. Les légumes doivent être coupés en petits dés d'environ 6 mm de côté.

☐ Mettre les dés de tomates, de concombre, de poivron vert, l'oignon haché et le persil dans une terrine, bien mélanger.

☐ Verser dessus de l'huile d'olive, goutte à goutte, saler et poivrer à volonté, mélanger de nouveau. Garnir avec des feuilles de menthe fraîche.

- 2 grosses tomates mûres, coupées en dés de 6 mm de côté
- 1 gros concombre (ou deux petits), épluché et coupé en dés
- 1 poivron vert, épépiné et coupé en dés
- 1 oignon haché
- 4 cuil. à soupe de persil frais haché
- 2 à 3 cuil. à soupe d'huile d'olive
- Jus de 1 citron
- Sel
- Poivre noir moulu
- Feuilles de menthe fraîches pour garnir

VARIANTE

PRÉPARER LES LÉGUMES COMME INDIQUÉ CI-DESSUS, MAIS ASSAISONNER AVEC 3 À 4 CUILLERÉES À SOUPE DE TAHIN DILUÉES DANS 2 CUILLERÉES À SOUPE DE JUS DE CITRON ; SALER ET POIVRER. DILUER AVEC UN PEU D'EAU OU DE JUS DE CITRON POUR OBTENIR LA CONSISTANCE SOUHAITÉE.

SALADE DE BETTERAVES ROUGES ET DE CRESSON À LA MOUTARDE

POUR 6 PERSONNES

La betterave rouge a toujours été un élément essentiel de la cuisine russo-juive. On la sert aussi chez les Séfarades, avec une sauce simple, à base de jus de citron, d'huile d'olive et de persil frais haché ou de coriandre. Dans cette recette, on trouve des betteraves rouges fraîches, du cresson et une sauce classique à base de moutarde, d'huile et de vinaigre.

☐ Préparer la vinaigrette. Verser du vinaigre de vin blanc dans un bol. Saler, poivrer et sucrer à volonté. Incorporer délicatement la moutarde. Verser l'huile goutte à goutte tout en fouettant, jusqu'à ce que la vinaigrette soit homogène. Mettre de côté.

☐ Disposer le cresson ou les feuilles d'épinards sur 6 assiettes individuelles. Répartir régulièrement les betteraves rouges sur les assiettes. Remuer encore une fois la vinaigrette et la verser sur les betteraves rouges avec une cuiller. Garnir avec des feuilles de coriandre et servir aussitôt.

VINAIGRETTE A LA MOUTARDE

- 4 cuil. à soupe de vinaigre de vin blanc
- Sel
- Poivre noir moulu
- 1 cuil. à café de sucre (facultatif)
- 2 cuil. à café de moutarde de Dijon
- 150 ml d'huile d'olive ou d'huile végétale ou un mélange des deux

- 1 gros bouquet de cresson ou 250 g de jeunes feuilles d'épinards, triées et lavées
- 10 à 12 petites betteraves rouges, cuites, épluchées et coupées en fines lamelles ou en dés
- Feuilles de coriandre fraîche pour garnir

SALADE DE POMMES DE TERRE À L'ALLEMANDE

POUR 4–6 PERSONNES

Bien que la pomme de terre ait seulement été introduite en Europe au XVIᵉ siècle, les Juifs du monde entier l'adoptèrent rapidement dans leur cuisine. Les Juifs allemands utilisaient les pommes de terre de diverses manières, pour faire du pain, de la soupe et des boulettes, mais aussi des *kugels*, des *latkes* et des *knisches*. **Ils la faisaient cuire ou frire, la mangeaient chaude ou froide, en salade. Cette salade de pommes de terre est chaude et sans mayonnaise.**

- 1 kg de pommes de terre fermes, cuites, épluchées et coupées en dés de 1,25 cm de côté
- 2 concombres au vinaigre coupés en dés
- 2 cuil. à soupe d'huile végétale
- 1 oignon finement haché
- 1 branche de céleri, sans fil, finement hachée
- Sel
- Poivre noir moulu
- 1 cuil. à soupe de sucre roux
- 1 cuil. à soupe de moutarde pas trop forte
- 60 ml de vinaigre de vin rouge ou de vin blanc
- Persil frais haché pour garnir

☐ Mettre les pommes de terre chaudes dans une grande terrine. Ajouter les dés de concombre. Réserver.

☐ Faire chauffer l'huile dans une poêle, sur feu moyen ou vif. Faire revenir l'oignon, l'ail et le céleri pendant 2 à 3 minutes. Saler et poivrer à volonté. Incorporer délicatement sucre, moutarde et vinaigre.

☐ Verser la sauce sur le mélange de pommes de terre et remuer avec précaution. Verser dans un plat de service et parsemer de persil haché. On peut verser quelques gouttes d'huile sur la salade de pommes de terre.

SALADE DE CAROTTES À LA MAROCAINE

POUR 4–6 PERSONNES

Les Israéliens aiment beaucoup cette salade orientale. Elle a une couleur très attirante, est à la fois sucrée et épicée. On peut également utiliser des carottes crues râpées, mais en général, elles sont cuites.

- 500 g de carottes, épluchées et cuites à point ; conserver le liquide de cuisson
- 2 cuil. à soupe d'huile végétale
- 2 gousses d'ail finement hachées
- 1 cuil. à café de sel
- 1 1/2 cuil. à café de cumin
- 1/2 cuil. à café de piment rouge, séché et concassé, de poivre Cayenne ou de sauce au poivre rouge
- 1 cuil. à café de sucre
- 2 à 3 cuil. à soupe de persil frais haché
- 3 à 4 cuil. à soupe de jus de citron
- Persil frais pour garnir

☐ Râper les carottes dans un mixeur, ou à la main et les verser dans une grande terrine. Mettre de côté.

☐ Faire chauffer l'huile dans une poêle, sur feu moyen ou vif. Faire revenir l'ail haché 2 à 3 minutes. Ajouter le sel, le cumin, le piment rouge sec, le poivre de Cayenne ou la sauce au poivre rouge, et le sucre ; bien mélanger.

☐ Incorporer le persil haché et le jus de citron. Verser lentement 125 à 175 ml du jus de cuisson des carottes. Porter à ébullition et laisser cuire 3 à 5 minutes. Verser sur les carottes. Laisser refroidir à température ambiante.

☐ Couvrir, mettre au réfrigérateur 6 à 8 heures ou toute la nuit. Disposer sur un plat de service, garnir avec du persil.

SALADE DE CONCOMBRE À L'ANETH

POUR 4–6 PERSONNES

La plupart des Juifs aiment la salade de concombre. En Europe orientale, on préfère une marinade à base de vinaigre (ou d'acide acétique) ; au Proche-Orient, on utilise une sauce au yaourt pour les salades de concombres traditionnelles comme la *tarator* ou la *cacik*. Ces deux variantes accompagnent très bien le poisson, la volaille et l'agneau, et sont parfaites pour un buffet froid.

☐ Verser le vinaigre et 125 ml d'eau dans un bol doseur. Ajouter le sucre, le sel et le poivre. Ajouter l'aneth haché et bien mélanger ; mettre de côté.

☐ Faire des entailles tout le long du concombre avec les dents d'une fourchette. Couper le concombre en rondelles minces dans un robot ménager. Mettre dans une grande terrine, verser la marinade par-dessus. Mettre au frais pendant la nuit. Servir frais.

- 60 ml de vinaigre de vin blanc ou de vinaigre d'alcool
- 1 à 2 cuil. à soupe de sucre
- Sel
- Poivre noir moulu
- 2 à 3 cuil. à soupe d'aneth frais finement haché
- 1 concombre coupé en minces rondelles

VARIANTE

MARINADE SANS VINAIGRE. MÉLANGER 250 ML DE YAOURT NATURE AVEC UNE GOUSSE D'AIL ÉCRASÉE, SEL ET POIVRE À VOLONTÉ, 1 À 2 CUILLERÉES À SOUPE DE JUS DE CITRON ET 1 CUILLERÉE À SOUPE D'ANETH FRAIS HACHÉ OU DE MENTHE. VERSER DESSUS LE CONCOMBRE COUPÉ EN RONDELLES. METTRE AU RÉFRIGÉRATEUR TOUTE LA NUIT. SERVIR FRAIS.

TABOULÉ

POUR 10–12 PERSONNES

Cette salade du Proche-Orient, à base de blé concassé, est idéale pour un buffet froid et constitue une agréable alternative à la salade de riz. Le blé concassé a un goût de terre qui est rehaussé par le persil. Ce plat est parfois appelé « salade de persil ».

- 175 g de boulghour
- 2 grosses tomates mûres, pelées, épépinées et coupées en petits morceaux, ou 4 à 5 olivettes italiennes, finement hachées
- 1 petit concombre épluché, épépiné et finement haché
- 4 oignons tendres de printemps coupés en minces rondelles
- 4 à 6 cuil. à soupe de persil frais haché
- 4 à 6 cuil. à soupe de menthe fraîche hachée
- Jus de 2 à 3 citrons
- 175 ml d'huile d'olive
- Sel
- Poivre noir moulu
- Feuilles de vigne ou laitue coupée en lanières
- Tomates cerises, rondelles d'olives et feuilles de menthe pour garnir

☐ Mettre le boulghour dans une grande terrine. Recouvrir d'eau, faire tremper toute la nuit ou jusqu'à ce qu'il soit moelleux.

☐ Égoutter. Verser sur un torchon propre, rouler le torchon pour exprimer le liquide. Verser dans une grande terrine et remuer avec une fourchette.

☐ Incorporer les olivettes et le concombre hachés, les oignons coupés en rondelles, le persil haché et la menthe hachée, bien mélanger. Verser dessus le jus de citron et l'huile d'olive, saler et poivrer à volonté. Cette salade doit être piquante et relevée par les fines herbes. Mettre au réfrigérateur jusqu'au moment de servir.

☐ Pour servir, tapisser un plat de service avec des feuilles de vigne ou des lanières de laitue. Former une pyramide avec la salade de boulghour, garnir avec des tomates cerises, des rondelles d'olives et des feuilles de menthe.

SALADE D'AVOCAT ET DE GRENADE

POUR 4 PERSONNES

L'avocat est le principal article d'exportation d'Israël ; il est si apprécié et si abondant qu'on l'utilise dans de nombreuses salades et hors-d'œuvre. Il s'harmonise très bien avec l'orange, un fruit également exporté en grandes quantités, et avec la grenade. Il peut être servi comme premier plat, sortant de l'ordinaire, ou comme garniture à l'occasion d'un dîner à base de viande ou de lait.

SAUCE
- 4 cuil. à soupe de vinaigre de vin blanc
- 2 cuil. à soupe de jus d'orange
- Sel
- Poivre noir moulu
- 1 cuil. à café de miel
- 2 cuil. à soupe d'huile d'olive
- 1 cuil. à soupe d'huile d'arachide ou de tournesol
- 2 cuil. à soupe de menthe fraîche hachée

- 1 grenade mûre coupée en deux
- 175 g de raisins noirs, coupés en deux et épépinés
- 2 avocats mûrs
- 1 cuil. à soupe de jus de citron
- Feuilles de menthe fraîches pour garnir

☐ Mélanger le vinaigre de vin, le jus d'orange, le sel, le poivre et le miel dans un bol. Verser goutte à goutte l'huile d'olive et l'huile végétale en battant jusqu'à ce que la sauce soit épaisse et crémeuse. Incorporer la menthe hachée. Mettre de côté.

☐ Détacher les pépins des moitiés de grenade, les mettre dans un grand bol. Ajouter les moitiés de raisins, mélanger.

☐ Couper les avocats en deux, retirer les noyaux. Passer la pointe d'un couteau entre la peau et la chair, enlever la peau.

☐ Poser les avocats, côté courbe vers le haut, sur le plan de travail. Couper en tranches d'environ 6 mm d'épaisseur, en commençant à 1,25 cm au-dessus du point d'attache de la queue, laisser la partie inférieure intacte. Sur quatre assiettes individuelles, disposer en éventail les moitiés d'avocat découpées. Verser dessus quelques gouttes de jus de citron.

☐ Répartir un quart du mélange pépins de grenade-raisins sur chaque moitié d'avocat, napper de sauce. Garnir chaque assiette avec quelques feuilles de menthe.

SALADE D'AVOCATS ET DE GRENADE

SALADES

SALADE ISRAÉLIENNE

SALADE DE BETTERAVES ROUGES ET DE CRESSON À LA MOUTARDE

SALADE DE POMMES DE TERRE À L'ALLEMANDE

SALADE DE CAROTTES À LA MAROCAINE

SALADE DE CONCOMBRE À L'ANETH

TABOULÉ

SALADE D'AVOCAT ET DE GRENADE

COMPOTE DE FRUITS D'ÉTÉ

POUR 8–10 PORTIONS

Cette compote est l'un des desserts d'été les plus simples et les plus variés qui soient. Elle peut être faite avec n'importe quel mélange de fruits et de baies, mais la base doit, si possible, être constituée de pêches, de nectarines et d'abricots. Plus l'été avance, plus il y a de fruits et de baies, les cerises et les raisins conviennent, eux aussi, parfaitement. On peut aussi congeler la compote en portions, car elle est également excellente en hiver, quand il fait froid.

La compote doit être servie très froide, éventuellement avec de la crème fraîche (battue ou non). Elle est aussi délicieuse avec de la glace à la vanille.

- 6 pêches mûres épluchées et coupées en tranches
- 6 nectarines ou prunes mûres coupées en tranches
- 6 abricots mûrs coupés en tranches
- 1 bâton de cannelle (facultatif)
- 1 jus de citron
- 250 g de cerises burlat ou de guignes

- 1 kg de baies diverses telles que fraises (couper les grosses fraises en deux), framboises, myrtilles, mûres, loganberries (grosses framboises) et groseilles
- Sucre ou édulcorant
- Feuilles de menthe fraîche pour garnir

☐ Mettre les pêches, les nectarines ou les prunes et les abricots coupés en tranches dans une grande cocotte (pas en aluminium). Recouvrir les fruits d'eau, ajouter le bâton de cannelle (facultatif) et le jus de citron. Porter à ébullition. Couvrir et laisser cuire 2 à 3 minutes sur feu doux ; ne pas faire cuire trop longtemps, sinon les fruits tomberaient en morceaux.

☐ Ajouter les cerises, couvrir et faire cuire encore 2 minutes ; les fruits durs doivent être mous et les cerises doivent commencer à pâlir. Ajouter les fraises et faire cuire encore 1 minute. Ajouter les autres baies et faire cuire 2 à 3 minutes en remuant de temps en temps jusqu'à ce que les fruits durs soient mous et que les baies commencent à devenir molles. Retirer du feu, couvrir et laisser reposer 30 minutes.

☐ Ajouter du sucre ou de l'édulcorant à volonté. Verser les fruits dans un grand plat de service et mettre au réfrigérateur 3 à 4 heures ou toute la nuit. Garnir avec des feuilles de menthe fraîches.

COINGS CUITS AU FOUR

POUR 8 PERSONNES

Les Juifs d'Afrique du Nord et du Proche-Orient aiment beaucoup les coings. Il faut les faire cuire assez longtemps pour qu'ils soient mous, mais leur consistance et leur parfum sont exotiques et délicieux.

- 250 ml de jus de citron
- 4 coings lavés, coupés en deux et épépinés, mais non épluchés
- 500 g de sucre

- 1 bâton de cannelle
- Eau de rose
- Yaourt (facultatif)

☐ Verser le jus de citron dans un plat allant au four. Disposer les moitiés de coings dans le plat, les retourner pour les imbiber de jus de citron de toutes parts, afin qu'ils ne noircissent pas.

☐ Mettre 375 g de sucre et le bâton de cannelle dans une grande marmite (pas en aluminium). Verser 450 ml d'eau. Porter à ébullition et remuer pour dissoudre le sucre.

☐ Incorporer délicatement les coings et le jus de citron, couvrir et faire cuire 20 à 25 minutes sur feu doux jusqu'à ce que les coings soient mous. Préchauffer le four (230 °C).

☐ Mettre les moitiés de coings dans un autre plat, le côté coupé vers le haut, et recouvrir de sirop. Saupoudrer avec le reste de sucre et faire cuire 5 à 7 minutes dans le plat non couvert jusqu'à ce que le sucre caramélise et que les fruits soient dorés et très mous.

☐ Sortir du four, laisser refroidir à température ambiante. Asperger d'eau de rose et servir avec du yaourt si l'on aime.

✡

COMPOTE DE FRUITS SECS

POUR 10–12 PORTIONS

Tous les Juifs d'Europe aiment la compote de fruits secs. Pendant les longs hivers, les fruits secs étaient toujours disponibles et donnaient un délicieux dessert après un repas à base de viande ou de lait. On peut prendre n'importe quel mélange de fruits et les faire cuire avec de l'eau, du thé, du jus de fruit ou du vin. Pour compenser la douceur naturelle, on servira la compote avec du yaourt ou de la crème fraîche. On peut également ajouter du sucre ou du miel, si on le désire. On peut combiner les fruits à l'infini, mais la majeure partie doit être constituée de prunes et d'abricots.

☐ Mettre les pruneaux, les abricots, les poires, les pêches, les lamelles de pommes et les raisins secs dans une grande cocotte (pas en aluminium). Verser 2 l d'eau ou la quantité nécessaire pour recouvrir les fruits.

☐ Ajouter, si l'on veut, du sucre ou du miel, le zeste de citron, le zeste d'orange et le jus, les clous de girofle, le bâton de cannelle et éventuellement des grains de poivre. Faire cuire sur feu vif. Couvrir et laisser mijoter 20 minutes jusqu'à ce que les fruits soient mous.

☐ Retirer les clous de girofle, le bâton de cannelle et les grains de poivre avec une écumoire. Verser les fruits dans un compotier et les arroser avec le jus. Mettre au frais 3 à 4 heures ou toute la nuit. Parsemer les fruits d'amandes grillées et servir avec du yaourt ou de la crème fraîche.

- 215 g de pruneaux dénoyautés
- 215 g d'abricots secs
- 215 g de poires sèches
- 100 g de pêches sèches
- 100 g de lamelles de pommes sèches
- 90 g de raisins secs
- 4 cuil. à soupe de miel ou de sucre (facultatif)
- Zeste râpé et jus de 1 citron
- Zeste râpé et jus de 1 orange
- 4 à 6 clous de girofle entiers
- 1 bâton de cannelle
- 1 cuil. à soupe de grains de poivre noir (facultatif)
- Amandes effilées grillées pour garnir

CONSEIL

SI VOUS DÉSIREZ UN SIROP PLUS ÉPAIS, METTEZ LES FRUITS DANS UN PLAT DE SERVICE. FAITES RÉDUIRE LE LIQUIDE 4 À 5 MINUTES, VERSEZ-LE SUR LES FRUITS ET FAITES RAFRAÎCHIR COMME INDIQUÉ CI-DESSUS. LE SIROP ÉPAISSIRA EN REFROIDISSANT.

SORBET À L'ORANGE

POUR 6 PORTIONS

Les agrumes, l'un des principaux produits d'exportation d'Israël, sont disponibles toute l'année. Les sorbets et les glaces sont particulièrement appréciés au Proche-Orient, mais aussi dans le reste du monde. Après chaque repas – à base de viande ou de lait –, le sorbet est un dessert idéal, surtout si l'on verse dessus quelques gouttes de Sabra, une liqueur israélienne au chocolat et à l'orange.

- 250 g de sucre
- Zeste râpé et jus de 1 citron
- Zeste râpé de 3 oranges
- 450 ml de jus d'orange frais, passé
- 2 blancs d'œuf, battus en neige
- Feuilles de menthe fraîche pour garnir
- Sabra (ou toute autre liqueur à l'orange)

☐ Verser le sucre, les zestes de citron et d'orange et 250 ml d'eau dans une petite casserole. Porter lentement à ébullition et remuer jusqu'à ce que le sucre soit dissous. Faire cuire 5 minutes, retirer du feu, laisser refroidir et mettre au réfrigérateur 3 à 4 heures ou toute la nuit.

☐ Incorporer le jus de citron et d'orange au sirop refroidi et passer, afin que le sorbet soit bien homogène.

☐ Si on utilise une sorbetière, se conformer aux indications du fabricant.

☐ Sinon, verser le mélange dans un bol métallique et laisser prendre 1 à 4 heures. Passer le mélange à demi glacé 30 à 45 secondes. dans un mixeur jusqu'à ce qu'il soit léger. Remettre dans le bol métallique, laisser prendre encore 1 heure et demie. Remettre dans le mixeur, mélanger avec les blancs d'œufs battus jusqu'à ce que le tout soit homogène et léger. Laisser prendre complètement encore 3 à 4 heures.

☐ Laisser ramollir 5 minutes à température ambiante, remplir des coupes individuelles à l'aide d'une cuiller. Garnir avec des feuilles de menthe fraîches et servir avec la liqueur, afin que chacun puisse en verser quelques gouttes sur son sorbet.

TRUC CULINAIRE

GRÂCE AU BLANC D'ŒUF BATTU EN NEIGE, LE SORBET DEVIENT CRÉMEUX. SI VOUS PRÉFÉREZ UNE CONSISTANCE PLUS « GROSSIÈRE », N'AJOUTEZ PAS DE BLANC D'ŒUF. DANS LE MIXEUR, LES CRISTAUX DE GLACE SONT PULVÉRISÉS, SI BIEN QUE LE SORBET DEVIENT PLUS CRÉMEUX.

POUDING DE LOKSHEN AUX FRUITS

POUR 4 PERSONNES

Le kugel sucré est un vieux dessert ashkénaze, copieux et lourd.
La variante crémeuse aux fruits secs est une délicieuse alternative.
Si l'on utilise des vermicelles ou des pâtes à potage,
le pouding sera très crémeux.

☐ Dans une casserole moyenne placée sur un feu moyen, porter le lait à
ébullition, ajouter les pâtes et cuisez à feu doux jusqu'à ce qu'elles soient
tendres et qu'elles aient absorbé la plus grande partie du lait, soit environ
pendant 15 minutes. Laisser un peu refroidir.

☐ Préchauffer le four (180 °C). Graisser légèrement un moule à gâteau ou
à soufflé de 900 ml. Bien mélanger les œufs, le sel, le zeste de citron, le zeste
d'orange, la cannelle, la muscade et le sucre. Ajouter le beurre ou la margarine
et les fruits secs.

☐ Incorporer les pâtes cuites au mélange à base d'œufs et mélanger pour que
les fruits secs soient bien répartis. Verser dans le moule et parsemer
d'amandes. Passer au four 40 à 50 minutes ; si l'on enfonce la pointe d'un
couteau dans le pudding, elle doit en ressortir sèche.

- 450 ml de lait
- 125 g de vermicelles, de pâtes
  à potage ou de spaghettis fins
- 2 œufs
- 1/4 cuil. à café de sel
- Zeste râpé de 1 citron
- Zeste râpé de 1 orange
- 1/2 cuil. à café de cannelle moulue
- 1/4 cuil. à café de muscade râpée
- 60 g de sucre
- 30 g de beurre mou ou de
  margarine
- 100 g d'abricots secs hachés
- 45 g de dattes dénoyautées,
  hachées
- 45 g de raisins de Smyrne
- 30 g d'amandes effilées

CONSEIL

SI VOUS DÉSIREZ QUE LE POUDING
SOIT CRÉMEUX, VOUS POUVEZ LE FAIRE
CUIRE AU BAIN-MARIE. PRÉPAREZ-LE
COMME INDIQUÉ CI-DESSUS, METTEZ
LE MOULE À SOUFFLÉ DANS
UNE CASSEROLE À MOITIÉ REMPLIE
D'EAU BOUILLANTE. COUVREZ
LE MOULE PENDANT LES 25 PREMIÈRES
MINUTES DE CUISSON,
PUIS DÉCOUVREZ-LE AFIN QUE
LA SURFACE ET LES AMANDES
PRENNENT UNE BELLE
COULEUR BRUNE.

POUDING DE MATZOTS

POUR 6 PERSONNES

Dans ce pouding, qui est préparé comme un pouding de pâtes,
les pâtes sont remplacées par des matzots, afin qu'il soit casher
pour Pessah. On peut y ajouter tous les ingrédients
et les épices que l'on veut.

- 4 matzots
- 1 pomme ou 1 poire à dessert, épluchée, épépinée et râpée
- 90 g de raisins secs
- 45 g d'abricots secs hachés
- 60 g d'amandes ou de noix hachées et grillées
- 75 g de sucre
- 1 cuil. à café de cannelle moulue
- 1/2 cuil. à café de muscade râpée
- 1 cuil. à soupe de miel
- Zeste râpé et jus de 1 citron
- 3 œufs
- 3 cuil. à soupe de farine fine à matzot
- 125 g de margarine neutre, fondue
- 1 cuil. à soupe de sucre
- 2 cuil. à soupe de confiture d'orange ou d'abricot

☐ Mettre les matzots en petits morceaux dans une grande terrine. Recouvrir d'eau froide et laisser reposer 10 minutes, jusqu'à ce qu'ils aient un peu ramolli. Bien égoutter et écraser avec une fourchette jusqu'à ce qu'ils soient presque réduits en purée.

☐ Préchauffer le four (180 °C). Graisser légèrement un moule profond carré de 20 à 24 cm de côté. Ajouter la pomme ou la poire râpée, les raisins secs, les abricots et les amandes ou noix aux matzots et bien remuer. Incorporer la moitié du sucre, la cannelle, la muscade, le miel, le zeste et le jus de citron et bien mélanger.

☐ Battre les œufs et le reste de sucre 5 minutes dans une grande terrine, de façon que la masse soit épaisse et crémeuse et le sucre dissous. Incorporer délicatement le mélange de matzots. Ajouter la moitié de la margarine fondue, mélanger, remplir le moule et égaliser la surface.

☐ Verser le reste de margarine fondue goutte à goutte sur la surface et saupoudrer de sucre. Faire cuire 1 heure ; si l'on enfonce la pointe d'un couteau dans la préparation, elle doit en ressortir sèche, la surface doit être dorée et le pouding légèrement gonflé.

☐ Faire chauffer la confiture d'orange ou d'abricot avec 1 cuillerée à soupe d'eau dans une petite casserole, sur feu moyen. Répartir le mélange sur le pouding cuit. Faire refroidir au moins 15 minutes avant de servir.

MARCHAND AMBULANT VENDANT DES PÂTISSERIES À ISTANBUL, TURQUIE

FRUITS EXOTIQUES AUX DATTES

POUR 6 PERSONNES

La salade de fruits a toujours été un dessert apprécié dans les familles juives, parce qu'elle est neutre et peut être mangée aussi bien après un repas à base de viande qu'après un repas à base de lait. Presque tous les fruits de saison sont coupés en tranches minces ou en morceaux et servis dans leur jus naturel ou avec de la purée de fruits. Cette recette n'est pas une salade de fruits traditionnelle, mais un mélange de fruits exotiques coupés en tranches et servis sur une assiette. En Israël, les melons *casaba* et les oranges sont très sucrés. Les dattes sont appréciées dans tout le Proche-Orient, mais on peut également recommander la datte *medjool* qui pousse en Californie.

☐ Disposer en éventail les tranches de melon sur 6 assiettes individuelles, puis les quartiers d'orange épluchés et les tranches de mangue autour des tranches de melon.

☐ Répartir les litchis sur les fruits, verser dessus quelques gouttes du jus de tous les fruits.

☐ Disposer 4 moitiés de dattes sur chaque assiette, parsemer de pépins de grenade. Garnir avec des feuilles de menthe fraîche et servir.

- 1 melon *casaba*, épépiné, coupé en tranches minces et épluché
- 3 oranges sucrées, sans pépins, épluchées et coupées en quartiers ; conserver le jus
- 1 mangue épluchée et coupée en tranches minces
- 24 litchis frais épluchés ou 1 boîte de 425 g de litchis dans leur jus
- 12 dattes *medjool* coupées dans le sens de la longueur et dénoyautées
- 1 grenade coupée en deux et épépinée
- Feuilles de menthe fraîche pour garnir

PÂTISSERIES

PLAVA AU CITRON

ROULÉ AU CHOCOLAT POUR PESSAH

GÂTEAU AU FROMAGE BLANC À LA NEW-YORKAISE

LEKACH

GÂTEAU AUX POMMES « À LA JUIVE »

SOUFGANIYOT

MACARONS À LA NOIX DE COCO

HAMANTASCHEN

PETITES BOULES À LA CANNELLE

RUGELACH AUX NOIX ET AUX RAISINS SECS

BISCUITS MAROCAINS

MANDELBROT

PETITS PAINS AUX NOIX DE PÉCAN ET À LA CANNELLE

BABKE SIMPLE ET RAPIDE

GÂTEAU AU BEURRE

BAGELS

PITA AU SÉSAME

KOUBANÉ

PAIN DE SEIGLE À L'ANCIENNE

HALLAH

PLAVA AU CITRON

POUR 6–8 PORTIONS

Les gâteaux juifs typiques de Pessah sont faits avec des succédanés de farine. Ces gâteaux ont été développés à la perfection par les Juifs séfarades d'Espagne, qui s'enfuirent en Grèce pendant l'Inquisition ; entre-temps, tous les Juifs les aiment. Les succédanés les plus appréciés sont la fécule de pomme de terre, la farine à matzot ultra-fine, parfois également appelée « farine à gâteaux », et les noix râpées. Cela donne un biscuit léger et délicieux, qui est servi ici avec une sauce au citron.

- 6 œufs, dont on separera le blanc et le jaune
- 250 g de sucre
- 125 g de farine à matzot (farine à gâteaux)
- 60 g d'amandes mondées moulues ou de fécule de pomme de terre
- 1/4 cuil. à café de cannelle
- Zeste râpé et jus de 1 citron
- Moitiés d'amandes ou amandes effilées pour garnir

CRÈME MOUSSEUSE AU CITRON
- 1 cuil. à soupe d'arrow-root
- 150 g de sucre
- Zeste râpé et jus de 1 citron
- 2 œufs, blancs et jaunes séparés

☐ Préchauffer le four (180 °C). Graisser un moule à fond amovible de 20 à 24 cm de diamètre. Battre les jaunes d'œufs et la moitié du sucre dans une grande terrine avec un mixeur pendant 3 à 5 minutes, jusqu'à ce que la mixture forme un ruban quand on retire les batteurs du saladier.

☐ Battre les blancs en neige dans une autre terrine avec des batteurs propres. Mélanger avec le reste du sucre en 3 ou 4 fois, jusqu'à ce que les blancs soient très fermes.

☐ Mélanger la farine à matzot, les amandes moulues ou la fécule de pomme de terre, la cannelle et le zeste de citron dans une terrine. Incorporer délicatement en trois fois les blancs battus et le mélange farine-amandes aux jaunes d'œufs. Ajouter le jus de citron.

☐ Verser la préparation dans le moule préparé, disposer les moitiés d'amandes à 5 cm d'intervalle ou parsemer d'amandes effilées.

☐ Faire cuire 45 à 55 minutes jusqu'à ce que la surface soit dorée ; quand on enfonce la pointe du couteau dans la pâte, elle doit en ressortir sèche. Poser sur une grille à gâteau et laisser refroidir 10 minutes. Passer délicatement la lame d'un couteau affilé entre le moule et le gâteau, sortir ce dernier du moule. Laisser refroidir complètement ; il est possible que le gâteau s'affaisse légèrement.

☐ Préparer la sauce crémeuse au citron. Mélanger l'arrow-root et le sucre dans une casserole. Verser doucement 375 ml d'eau, le zeste et le jus de citron, remuer jusqu'à ce que l'ensemble soit homogène et onctueux. Incorporer les jaunes d'œufs.

☐ Faire cuire le mélange 3 à 4 minutes sur feu doux ou moyen jusqu'à ce qu'il épaississe légèrement. Porter à ébullition et retirer du feu.

☐ Battre les blancs en neige dans une terrine. Les incorporer délicatement aux jaunes. Laisser refroidir, mettre au réfrigérateur au moins 1 heure. Servir froid avec le gâteau.

ROULÉ AU CHOCOLAT POUR PESSAH

POUR 10-12 PORTIONS

À l'occasion de Pessah, époque à laquelle on ne peut employer de levain, on sert souvent un biscuit de Savoie. Ce gâteau simple est idéal à n'importe quelle époque de l'année. Si on n'aime pas les marrons, on peut les remplacer par de la crème Chantilly sucrée ou par une autre crème.

- 175 g de chocolat à croquer, en morceaux
- 60 ml de café fort
- 6 œufs, blancs et jaunes séparés
- 75 g de sucre
- 2 cuil. à café d'extrait de vanille
- Poudre de cacao
- Sucre glace
- Marrons glacés pour garnir

CRÈME AUX MARRONS
- 450 g de crème fraîche (double)
- 2 cuil. à soupe de liqueur de café ou 2 cuil. à café d'extrait de vanille ou d'extrait de rhum
- 450 ml de purée de marrons sucrée, en boîte

☐ Préchauffer le four (180 °C). Garnir un moule à biscuit de 38 cm x 26 cm avec du papier sulfurisé, graisser le papier et le saupoudrer de farine. Faire fondre le chocolat dans le café dans une petite casserole, sur feu doux, bien remuer. Mettre de côté et laisser refroidir un peu.

☐ Mettre les jaunes d'œufs et la moitié du sucre dans une grande terrine, les passer 4 à 5 minutes au mixeur jusqu'à ce que le mélange blanchisse et épaississe. Incorporer au chocolat refroidi.

☐ Dans une autre terrine, battre les blancs en neige pas trop ferme avec un batteur propre. Incorporer peu à peu le reste de sucre, bien battre jusqu'à ce que les blancs soient très fermes. Ajouter l'extrait de vanille.

☐ Incorporer une bonne cuillerée de blancs en neige à la masse chocolat-jaune d'œufs, puis mélanger le tout avec le reste de blancs. Verser dans le moule préparé et égaliser. Faire cuire 12 à 15 minutes jusqu'à ce que le gâteau reprenne sa forme quand on appuie légèrement dessus avec le doigt.

☐ Saupoudrer un torchon propre avec du cacao en poudre. Quand le gâteau est cuit, le renverser sur le torchon et décoller le papier. Rouler le gâteau avec le torchon sur le petit côté pour former un roulé. Laisser refroidir complètement sur la grille à gâteau.

☐ Préparer la garniture. Battre la crème et la liqueur ou l'extrait dans un grand bol. Incorporer une bonne cuillerée de crème fraîche à la purée de marrons, puis mélanger la purée au reste de crème. Dérouler le gâteau et étaler la crème par-dessus. Laisser un bord de 2,5 cm. Soulever le gâteau avec le torchon et le rouler comme un biscuit roulé.

☐ Décorer le roulé avec des bandes de sucre glace tamisé et faire glisser doucement sur un plat de service long. Garnir avec des marrons glacés si on le désire.

✡

GÂTEAU AU FROMAGE BLANC À LA NEW-YORKAISE

POUR 8–10 PORTIONS

Les recettes de gâteaux au fromage frais existent depuis l'invention du fromage blanc au Proche-Orient, il y a quelques siècles. Le gâteau occidental au fromage blanc, tel que nous le connaissons, est probablement un descendant de la *pashka* russe, c'est-à-dire un dessert moulé en forme de cylindre, à base de fromage frais granulé fait maison, d'œufs, de sucre, de crème fraîche, de beurre et de noix concassées. Ce gâteau au fromage blanc, copieux et onctueux, est sublime et particulièrement approprié à l'occasion de Shavouoth.

- 20 à 22 biscuits au blé complet, concassés
- 1/2 cuil. à café de cannelle moulue
- 45 g de beurre fondu ou de margarine
- 750 g de fromage frais
- 175 g de sucre
- Zeste râpé de 1 citron
- 1 cuil. à café d'extrait de vanille
- 3 œufs

CRÈME
- 250 ml de crème fraîche
- 2 cuil. à soupe de sucre
- 1 cuil. à café d'extrait de vanille

☐ Préchauffer le four (180 °C). Graisser légèrement un moule à fond amovible de 24 cm de diamètre. Mélanger les miettes de biscuits, la cannelle et le beurre ou la margarine dans un grand bol. Répartir les miettes sur le fond et sur les bords du moule, jusqu'à 4 cm de hauteur. Faire cuire 5 minutes jusqu'à ce qu'elles commencent à se détacher. Laisser refroidir sur une grille à gâteau.

☐ Mélanger le fromage blanc frais et le sucre dans un grand bol avec un mixeur, à petite vitesse ou à vitesse moyenne. Ajouter le zeste de citron et la vanille, puis les œufs un à un, jusqu'à ce que la pâte soit homogène et onctueuse.

☐ Verser délicatement le mélange dans le moule refroidi. Faire cuire 45 à 50 minutes jusqu'à ce que l'extérieur soit ferme et l'intérieur encore un peu mou. Le gâteau ne doit pas brunir, mais gonfler et dorer. Éteindre le four, y laisser le gâteau encore 1 heure, porte fermée. (Ainsi, la surface ne se craquelle pas.) Poser sur une grille et laisser refroidir.

☐ Mettre le four à 220 °C. Préparer la crème. Mélanger la crème fraîche, le sucre et la vanille dans un petit bol. Verser délicatement sur le dessus du gâteau et remettre 5 minutes au four. Mettre le gâteau sur la grille et laisser refroidir complètement. Mettre au réfrigérateur pendant la nuit.

☐ Passer un couteau entre la paroi du moule et le gâteau. Sortir délicatement le gâteau du moule et le glisser sur un plat de service.

UN DES NOMBREUX MAGASINS D'ALIMENTATION JUIFS DE NEW YORK

VARIANTE

GÂTEAU AU FROMAGE BLANC
AUX FRAISES

PRÉPAREZ LE GÂTEAU AU FROMAGE
BLANC COMME INDIQUÉ CI-DESSUS,
MAIS DÉCOREZ LE BORD
DU GÂTEAU AVEC DES FRAISES
NETTOYÉES ET COUPÉES
EN DEUX DANS LE SENS
DE LA LONGUEUR. RÉDUISEZ
EN PURÉE 300 G DE FRAISES
CONGELÉES LÉGÈREMENT
SUCRÉES OU 500 G
DE FRAISES FRAÎCHES
NETTOYÉES, MÉLANGÉES
AVEC 3 CUILLERÉES À SOUPE
DE SUCRE. PASSEZ ET
AJOUTEZ, SI NÉCESSAIRE,
UN PEU DE JUS DE CITRON
OU DE L'EAU. SERVEZ AVEC
LE GÂTEAU AUX FRAISES.

LEKACH

POUR 12 PARTS

- 300 g de farine
- 125 g de farine complète
- 125 g de sucre roux
- 1 cuil. à soupe de levure chimique
- 1 cuil. à café de bicarbonate de soude
- 2 cuil. à café de poudre de gingembre
- 1/2 cuil. à café de poivre de la Jamaique
- 60 g de noix ou d'amandes, hachées et grillées (facultatif)

- 90 g de raisins secs (facultatif)
- 425 ml de miel
- 250 ml de café fort
- 3 cuil. à soupe de bourbon, de brandy ou d'eau
- 4 œufs
- 60 ml d'huile végétale
- 8 cuil. à soupe de confiture de gingembre ou de gingembre haché au sirop, en boîte
- Sucre glace pour saupoudrer ou miel pour glacer

☐ Préchauffer le four (180 °C). Graisser un grand moule de 23,5 cm x 32,5 cm. Le chemiser, graisser le papier et saupoudrer de farine.

☐ Mélanger les deux sortes de farine, le sucre, la levure chimique, le bicarbonate de soude, le gingembre, la cannelle et le poivre dans une grande terrine. Ajouter des noix ou des amandes hachées et des raisins secs si on le désire. Mettre de côté.

☐ Faire chauffer le miel et le café dans une petite casserole, à feu doux ou moyen, retirer du feu. Incorporer du bourbon, du brandy ou de l'eau.

☐ Bien battre les œufs et l'huile végétale dans une grande terrine. Incorporer la confiture de gingembre ou le gingembre au sirop. Sinon, ajouter en 3 ou 4 fois le mélange de miel chaud et le mélange de farine au mélange à base d'œufs battus, jusqu'à ce que l'ensemble soit bien homogène.

☐ Verser la préparation dans le moule. Faire cuire 1 heure ; quand on enfonce une lame de couteau dans la pâte, elle doit en ressortir presque propre, et la surface du gâteau doit être élastique quand on appuie dessus avec le doigt. Poser le moule sur une grille et laisser refroidir complètement.

☐ Renverser le gâteau sur une grille, puis sur un plat de service afin que le « bon côté » du gâteau se trouve en haut. Saupoudrer de sucre glace ou, si l'on préfère, badigeonner avec du miel légèrement réchauffé. Couper en carrés avant de servir.

Ce pain d'épice est le gâteau juif traditionnel du Nouvel An. Le miel sucré, tel que nous le connaissons, n'existait pas avant l'époque romaine ; le miel était alors employé à des fins médicinales et conservé pour les jours de fête et les événements spéciaux. Le *lekach*, pain d'épices en yiddish, est fortement aromatisé avec du gingembre et autres épices.

GÂTEAU AUX POMMES « À LA JUIVE »

POUR 16–20 PARTS

Ce gâteau aux pommes, qui est fait avec de l'huile, est particulièrement apprécié à l'occasion de Hanouka, parce que l'huile est le symbole du miracle de ce jour. Les couches de pommes acides cuites dans une pâte moelleuse, sucrée et parfumée au citron, rendent ce gâteau particulièrement fin.

GARNITURE AUX POMMES
- 1 kg de pommes à cuire, épluchées, épépinées et coupées en lamelles
- 4 cuil. à soupe de sucre
- 1 cuil. à café de cannelle moulue
- Zeste râpé et jus de 1 citron

PÂTE
- 4 œufs
- 250 g de sucre en poudre
- 250 g d'huile végétale
- 250 g de farine
- 2 cuil. à café de levure chimique
- 1 cuil. à café d'extrait de vanille
- Sucre pour saupoudrer

☐ Préchauffer le four (180 °C). Graisser un grand moule de 23,5 cm x 32,5 cm. Mélanger les lamelles de pommes, le sucre, la cannelle, le zeste et le jus de citron dans une grande terrine.

☐ Battre les œufs et le sucre au mixeur jusqu'à obtention d'un épais liquide mousseux qui retombe en ruban souple quand on le soulève avec une cuiller. Incorporer délicatement l'huile. Verser la farine et la vanille, fouetter jusqu'à ce que le mélange soit homogène.

☐ Verser la moitié de la pâte dans le moule préparé. Disposer la moitié des pommes sur la pâte avec une cuiller. Recouvrir les morceaux de pomme avec le reste de pâte, répartir d'autres morceaux de pommes sur le dessus. Saupoudrer avec 2 cuillerées à soupe de sucre.

☐ Faire cuire environ 1 heure et demie jusqu'à ce que les pommes soient à point, le gâteau doré et gonflé et la pâte élastique quand on appuie dessus avec le doigt. Si la surface dore trop vite, la recouvrir d'une feuille de papier d'aluminium. Poser sur une grille et laisser refroidir. Découper le gâteau en carrés et servir à température ambiante.

✡

SOUFGANIYOT

POUR 24 SOUFGANIYOT

Beaucoup de Juifs ashkénazes d'Europe centrale et orientale aimaient manger ces beignets à la confiture, qui sont maintenant très populaires en Israël à l'occasion de Hanouka, parce qu'ils sont frits dans l'huile. Les beignets cuits dans la friture sont appréciés depuis longtemps chez les Juifs séfarades et viennent probablement des *loukomades* grecs, qui sont des beignets imbibés de miel liquide.

- 2 cuil. à soupe de levure déshydratée
- 2 cuil. à soupe de sucre
- 300 ml de lait tiède
- 4 jaunes d'œufs
- 500 g de farine
- 1/4 de cuil. à café de sel
- Huile végétale pour la friture
- Confiture de prune, d'abricot, de cassis ou de groseille
- Sucre fin pour glacer

☐ Verser la levure, le sucre et le lait tiède dans le bol d'un mixeur muni d'un crochet de pétrissage. Mélanger 1 minute, laisser reposer 10 à 12 minutes jusqu'à ce que des bulles apparaissent à la surface. Battre les jaunes à petite vitesse.

☐ Ajouter la farine et le sel, mélanger jusqu'à obtention d'une pâte molle. Pétrir 4 à 6 minutes jusqu'à ce que la pâte soit homogène et élastique et adhère au crochet de pétrissage. Graisser légèrement un bol, y mettre la pâte et la retourner pour la recouvrir d'huile. (Ainsi, il n'y aura pas de croûte.)

☐ Recouvrir le bol avec un torchon propre, laisser reposer 1 heure et demie à 2 heures au chaud jusqu'à ce que la pâte ait doublé de volume. Poser la pâte sur un plan de travail fariné et l'abaisser à 2 cm environ. Découper 24 cercles de 5 cm de diamètre à l'emporte-pièce. Saupoudrer de farine et recouvrir avec un torchon. Laisser reposer 20 à 30 minutes jusqu'à ce que les morceaux de pâte aient gonflé. Recoller les restes et les laisser lever encore 20 à 30 minutes, abaisser la pâte et découper.

☐ Remplir une friteuse ou une grande marmite avec 7,5 cm d'huile et porter celle-ci à 180 °C ou 185 °C. Faire frire les beignets 3 à 4 minutes de chaque côté, en plusieurs fois. Ne pas en faire frire trop en même temps, sinon la température de l'huile baisserait et les beignets boiraient trop d'huile. Sortir avec une écumoire et égoutter sur du papier absorbant.

☐ Remplir de confiture une petite poche à douille. Quand les beignets ont un peu refroidi, pratiquer une petite ouverture latérale dans chaque beignet. Enfoncer le bec dans le beignet et introduire environ 1 cuillerée à café de confiture.

☐ Mettre 125 g de sucre dans un petit plat peu profond. Rouler chaque beignet fourré dans le sucre. Servir chaud.

IMPRESSIONNANT INTÉRIEUR ÉCLAIRÉ D'UNE VIEILLE SYNAGOGUE, À MOSCOU

MACARONS À LA NOIX DE COCO

POUR 30 MACARONS

Ces macarons à la noix de coco servis à l'occasion de Pessah sont très appréciés, parce qu'ils se conservent bien et sont délicieux. Naturellement, les macarons permettent aussi d'utiliser des restes de blancs d'œufs.

- 4 blancs d'œufs
- 250 g de sucre
- 1 cuil. à café de jus de citron ou de vinaigre d'alcool
- 1 cuil. à café d'extrait de vanille
- 275 g de noix de coco séchée

☐ Battre les blancs d'œufs avec un mixeur, à vitesse moyenne, jusqu'à ce qu'ils soient mousseux. Ajouter le sucre en plusieurs fois, bien battre à chaque fois jusqu'à ce que les blancs soient très fermes.

☐ Verser goutte à goutte le jus de citron ou le vinaigre et la vanille sur les blancs et parsemer de noix de coco séchée. Remuer délicatement jusqu'à ce que le tout soit bien homogène.

☐ Préchauffer le four (150 °C). Garnir deux plaques de papier sulfurisé. Déposer de petits tas en forme de cônes sur la plaque avec une cuiller, en laissant des intervalles de 2,5 cm.

☐ Mettre au four 40 à 45 minutes jusqu'à ce que les macarons soient légèrement dorés et encore mous au milieu. Déposer les macarons et leur papier sur une grille, laisser refroidir un peu. Décoller délicatement les macarons du papier sulfurisé et les laisser refroidir complètement. Conserver dans une boîte hermétique.

HAMANTASCHEN

POUR 30 HAMANTASCHEN

Ces petits biscuits triangulaires sont également appelés « oreilles d'Haman » et sont devenus les sucreries traditionnelles des Ashkénazes à l'occasion de Pourim. On les prépare avec de la pâte levée ou une pâte à biscuit légère. Les garnitures les plus traditionnelles sont les graines de pavot et les pruneaux.

PÂTE À BISCUIT

- 150 g de beurre mou ou de margarine
- 125 g de sucre
- 1 œuf
- 3 cuil. à soupe de lait ou d'eau
- 1/2 cuil. à café d'extrait de vanille
- 250 à 300 g de farine
- 1 cuil. à café de levure chimique

FARCE AU PAVOT ET AU MIEL

- 300 g de graines de pavot, entières ou moulues
- 125 g de miel
- 60 g de sucre roux
- 1/8 de cuil. à café de sel
- 30 g de noix ou d'amandes émondées, finement hachées (facultatif)
- 1 cuil. à soupe de jus de citron
- 1/2 cuil. à café de zeste de citron râpé
- 1 œuf battu pour badigeonner les biscuits (facultatif)

VARIANTE

HAMANTASCHEN AUX PRUNEAUX

CETTE GARNITURE, PARFOIS APPELÉE *LACQUA*, EST EN FAIT UN BEURRE DE PRUNEAUX. MÉLANGEZ 300 À 450 G DE PRUNEAUX SECS DÉNOYAUTÉS, LE ZESTE RÂPÉ ET LE JUS D'UNE ORANGE ET 250 ML D'EAU DANS UNE CASSEROLE. FAITES CUIRE 5 MINUTES SUR FEU MOYEN. RETIREZ DU FEU ET LAISSEZ REFROIDIR UN PEU. ÉCRASEZ LE MÉLANGE AUX PRUNEAUX À LA MAIN OU RÉDUISEZ-LE EN PURÉE DANS LE MIXEUR. AJOUTEZ 2 CUILLERÉES À SOUPE DE CONFITURE DE PRUNE OU D'ABRICOT. PRÉPAREZ LA PÂTE COMME INDIQUÉ CI-DESSUS, GARNISSEZ ET FAITES CUIRE.

☐ Passer au mixeur le beurre ou la margarine dans un saladier. Ajouter l'œuf, le lait et la vanille, battre jusqu'à ce que le mélange soit homogène et onctueux.

☐ Mélanger la farine et la levure chimique, les incorporer délicatement au mélange beurre-œuf.

☐ Mettre la pâte sur un plan de travail légèrement fariné et pétrir. Former une boule, l'aplatir et l'envelopper dans une feuille de papier sulfurisé. Laisser durcir dans le réfrigérateur 3 à 4 heures ou toute la nuit.

☐ Préparer la farce. Faire chauffer les graines de pavot, 125 ml d'eau, le miel, le sucre roux et le sel dans une casserole, à feu doux ou moyen, en remuant fréquemment jusqu'à ce que le mélange soit crémeux. Retirer du feu et laisser refroidir un peu. On peut également ajouter des noix hachées, un zeste et du jus de citron.

☐ Préchauffer le four (190 °C). Graisser légèrement deux plaques à pâtisserie. Poser la pâte sur un plan de travail légèrement fariné et la couper en deux ; mettre une moitié au frais. Abaisser la pâte en 3 mm. Faire autant de cercles que possible avec un emporte-pièce de 5 cm de diamètre. Badigeonner le bord de chaque cercle avec un peu d'eau et mettre 1 cuillerée à café de farce au pavot au milieu. Tirer les bords vers le haut en trois endroits pour former un triangle. Presser les bords ensemble mais laisser une petite fente de chaque côté.

☐ Poser les triangles de pâte sur une plaque, laisser des intervalles de 2,5 cm. Passer à l'œuf battu. Faire dorer 14 à 18 minutes. Poser sur une grille et laisser refroidir. Répéter l'opération avec le reste de pâte. Conserver les biscuits dans une boîte hermétique.

PLONGÉE ET PLANCHE À VOILE DANS LA MER ROUGE, ISRAËL

PETITES BOULES À LA CANNELLE

POUR 20 BOULES

Ces biscuits sont extrêmement faciles à faire. On les sert surtout à l'occasion de Pessah.

- 250 g d'amandes ou de noix émondées, finement moulues
- 250 g de sucre
- 1 cuil. à soupe de cannelle moulue
- 2 blancs d'œufs
- Sucre glace et cannelle pour garnir

☐ Préchauffer le four (170 °C). Graisser légèrement une grande plaque à pâtisserie. Mélanger les amandes ou noix moulues, 125 g de sucre et la cannelle dans un grand bol. Réserver.

☐ Battre les blancs d'œufs au mixeur dans un autre bol jusqu'à ce qu'ils soient à moitié fermes. Ajouter le sucre restant, cuillerée par cuillerée, et bien battre à chaque fois jusqu'à ce que les blancs soient fermes et brillants. Incorporer délicatement au mélange de noix.

☐ Former de petites boules de pâte de la taille d'une noix avec des mains mouillées. Les poser sur la plaque en laissant des intervalles de 2,5 cm. Passer au four 25 à 30 minutes jusqu'à ce que les biscuits soient dorés et fermes. Poser la plaque sur une grille et laisser refroidir un peu.

☐ Mélanger délicatement 125 g de sucre glace et 1/4 de cuillerée à café de cannelle dans un bol. Rouler chaque boule dans le mélange, puis laisser refroidir complètement sur la grille. Ajouter davantage de sucre et de cannelle, si nécessaire. Après refroidissement, rouler encore une fois les petites boules dans le mélange sucre-cannelle.

CONSEIL

SI LA PÂTE EST TROP MOLLE POUR FAIRE DE PETITES BOULES, AJOUTEZ UN PEU DE POUDRE D'AMANDES OU DE LA FARINE FINE À MATZOT POUR LA RENDRE PLUS FERME.

RUGELACH AUX NOIX ET AUX RAISINS SECS

POUR 60 RUGELACH

Aux États-Unis, les *rugelach* font partie des pâtisseries juives les plus populaires. Ces petits croissants fourrés, souvent préparés avec une simple pâte au fromage frais, fondent dans la bouche. Les pâtisseries en forme de croissant étaient très populaires à Vienne, parce que le croissant symbolise la victoire des Autrichiens sur les Turcs à la fin du XVIIᵉ siècle, mais il se peut que les *rugelach* soient originaires des communautés séfarades ou des communautés du Proche-Orient.

On peut les fourrer avec des graines de pavot, de la cannelle et des noix, du fromage blanc, du chocolat ou tout simplement avec de la confiture de framboise ou d'abricot.

PÂTE AU FROMAGE BLANC
- 250 g de beurre
- 250 de fromage frais mou
- 1 cuil. à soupe de sucre
- 2 à 3 cuil. à soupe de crème fraîche
- 250 g de farine
- 1/4 cuil. à café de sel

FARCE
- 125 g de raisins de Smyrne
- 125 g de noix, finement hachées
- 2 cuil. à café de cannelle moulue
- 75 g de sucre

- Lait pour glacer
- 2 cuil. à soupe de sucre
- 1/2 cuil. à café de cannelle

☐ Bien mélanger le beurre mou et le fromage frais dans un grand bol avec le mixeur électrique (ou à la main). Ajouter le sucre et battre jusqu'à ce que le mélange soit homogène, ajouter la crème fraîche, la farine et le sel et battre jusqu'à obtention d'une pâte molle. Former une boule et aplatir. Bien envelopper la pâte dans une feuille de papier sulfurisé et mettre au moins 2 heures au réfrigérateur.

☐ Préchauffer le four (180 °C). Graisser légèrement 2 grandes plaques. Incorporer les raisins secs, la cannelle et le sucre dans un bol. Mettre de côté.

☐ Mettre la pâte sur un plan de travail légèrement fariné et la couper en quatre. Travailler un quart, mettre le reste au réfrigérateur. Abaisser un quart de la pâte en 3 mm. Découper un grand cercle de 25 cm de diamètre dans la pâte avec le fond d'un moule rond ou d'une boîte de 25 cm de diamètre. Répartir un cinquième de la garniture sur le cercle de pâte, laisser un bord d'environ 2,5 cm.

☐ Découper le cercle de pâte en 10 ou 12 morceaux égaux avec un couteau affilé. Rouler chaque morceau comme un biscuit roulé, en commençant par le bord. Poser les morceaux sur la plaque en laissant des intervalles de 2,5 cm. Appuyer avec le doigt sur les bords (pour que la garniture ne sorte pas) et replier les extrémités de façon à former un croissant.

☐ Badigeonner chaque croissant avec un peu de lait et saupoudrer avec le mélange sucre-cannelle.

☐ Faire cuire 20 à 25 minutes jusqu'à ce que la pâte soit dorée. Poser les croissants sur une grille pour les faire refroidir. Procéder de la même manière avec le reste de pâte : faire une boule, l'abaisser et découper d'autres cercles. Conserver dans une boîte hermétique.

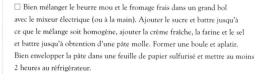

VARIANTES

RUGELACH AUX FRAMBOISES
ET AUX AMANDES

MÉLANGEZ 125 DE POUDRE D'AMANDES
ET 250 G DE CONFITURE DE FRAMBOISES.
AVANT DE COUPER LE CERCLE DE PÂTE,
BADIGEONNEZ-LE D'ENVIRON
UN CINQUIÈME DU MÉLANGE ET LAISSEZ
UN BORD D'ENVIRON 2,5 CM.
METTEZ EN FORME ET FAITES CUIRE
COMME INDIQUÉ CI-DESSUS.

RUGELACH AU PAVOT

PRÉPAREZ LA GARNITURE AU PAVOT POUR
LES *HAMANTASCHEN* (VOIR PAGE 112)
ET METTEZ-EN UN CINQUIÈME SUR CHAQUE
CERCLE DE PÂTE AVANT DE DÉCOUPER.
METTEZ EN FORME ET FAITES CUIRE
COMME INDIQUÉ CI-DESSUS.

✡

BISCUITS MAROCAINS

POUR 30 BISCUITS

On trouve ces biscuits aux noix dans la plupart des cuisines nationales, du Maroc au Mexique. Les *kourabiedes* grecs, ou boules de pâte brisée, sont faits avec des amandes, les *kipferl* autrichiens avec des noisettes. Ces biscuits, que l'on mange au Maroc à l'occasion de Pourim, peuvent être faits avec des noix ou des amandes.

- 250 g de beurre mou
- 250 g de sucre
- 375 g de farine
- 45 g de noix ou amandes, finement moulues
- Noix grossièrement hachées pour décorer (facultatif)

☐ Battre le beurre au mixeur pendant 5 à 7 minutes dans un saladier jusqu'à ce qu'il blanchisse et soit crémeux. Ajouter le sucre et battre encore 4 à 5 minutes jusqu'à ce que le mélange soit très crémeux. Incorporer la farine et les noix moulues en remuant le tout pour obtenir une pâte molle. Si la pâte est trop molle, ajouter encore un peu de farine ou mettre au frais jusqu'à ce que la pâte ait la consistance voulue.

☐ Préchauffer le four (150 °C). Saupoudrer de farine deux grandes plaques, mais ne pas les graisser. Couper la pâte en morceaux de la grosseur d'une noix et faire des boules bien homogènes avec des mains légèrement farinées. Les poser sur la plaque en laissant des intervalles de 2,5 cm. Enfoncer quelques petits morceaux de noix sur chaque boule.

☐ Passer les boules au four 20 à 30 minutes jusqu'à ce qu'elles soient fermes. Ne pas faire cuire ou dorer les biscuits trop longtemps, ils doivent avoir une couleur blanc cassé. Poser sur une grille et laisser refroidir. Conserver dans une boîte hermétique.

MANDELBROT

POUR 36 TRANCHES

Mandelbrot est le nom yiddish de ces biscuits aux amandes, durs et secs, qui sont cuits deux fois comme les *biscotti alla mandorla* italiens. Ces biscuits ont vraisemblablement été importés en Italie par des Juifs espagnols. Ils sont délicieux avec du café ou du thé ou, à la mode italienne, avec un vin doux – le *vino santo*.

- 300 g de farine
- 2 cuil. à café de levure chimique
- 1/4 cuil. à café de sel
- 3 œufs
- 250 g de sucre en poudre
- 6 cuil. à soupe d'huile végétale
- Zeste râpé d'1 citron
- 1 cuil. à café de jus de citron
- 1/2 cuil. à café d'extrait d'amandes
- 125 g d'amandes effilées, grossièrement hachées

☐ Préchauffer le four (180 °C). Graisser deux plaques. Passer la farine, la levure chimique et le sel dans un saladier. Réserver.

☐ Battre 3 à 5 minutes les œufs et le sucre au mixeur, dans une terrine, jusqu'à ce qu'ils épaississent et soient crémeux. Incorporer l'huile, le zeste de citron, le jus de citron et l'extrait d'amandes. Mélanger lentement et complètement la pâte à base de farine avec le mixeur, à petite vitesse. Ajouter les amandes et remuer jusqu'à obtention d'une pâte homogène.

☐ Mettre la pâte sur un plan de travail légèrement fariné et pétrir un peu. Couper la pâte en deux, former 2 grands pains plats d'environ 7,5 cm de large et de 2,75 cm d'épaisseur, Poser les 2 pains sur la plaque et faire dorer 35 à 40 minutes.

☐ Sortir les pains du four et les laisser refroidir 10 à 15 minutes. Quand ils sont assez froids pour qu'on puisse les toucher, découper délicatement des tranches de 1,25 cm d'épaisseur dans la diagonale et les placer sur la plaque (éventuellement en plusieurs fois). Faire cuire 6 à 7 minutes jusqu'à ce que le dessous soit doré, puis retourner les tranches et faire dorer l'autre face 5 à 7 minutes. Poser sur une grille et laisser refroidir complètement.

PETITS PAINS AUX NOIX DE PÉCAN ET À LA CANNELLE

POUR 16 PETITS PAINS

Ces petits pains sont une délicieuse pâtisserie
que l'on sert avec le café. La recette vient
d'Autriche et d'Allemagne.

- 1 cuil. à soupe de levure déshydratée
- 2 cuil. à soupe de sucre
- 60 ml d'eau tiède
- 75 ml de lait
- 30 g de beurre ou de margarine
- 1/4 cuil. à café de sel
- 1 œuf battu
- 2 cuil. à café d'extrait de vanille
- 250 g de farine

MÉLANGE NOIX DE PÉCAN-CANNELLE
- 45 g de beurre ou de margarine, fondue
- 4 cuil. à soupe de mélasse raffinée
- 150 g de sucre roux
- 1 cuil. à café de cannelle moulue
- 60 g de noix de pécan, grossièrement hachées
- 90 g de raisins de Smyrne

☐ Mélanger la levure déshydratée, 1 cuillerée à soupe de sucre et l'eau tiède
dans une terrine avec un mixeur muni d'un crochet de pétrissage. Battre
1 minute jusqu'à ce que la levure commence à se dissoudre. Laisser reposer
7 à 10 minutes jusqu'à ce que des bulles se forment à la surface.

☐ Réchauffer le lait, le beurre ou la margarine, le reste de sucre et le sel dans
une petite casserole, sur feu moyen, porter un instant à ébullition. Laisser
refroidir jusqu'à ce que le lait soit tiède. Le verser dans le mélange à la levure.
Ajouter l'œuf et la vanille, battre le tout à petite vitesse. Ajouter peu à peu
la farine, jusqu'à obtention d'une pâte homogène. Battre la pâte 3 à 4 minutes
à vitesse moyenne jusqu'à ce que la pâte soit homogène et élastique.

☐ Graisser légèrement une terrine et y mettre la pâte ; la retourner pour
la graisser de toutes parts (ainsi, il n'y aura pas de croûte). Recouvrir avec un
torchon propre et laisser reposer 1 heure à 1 heure et demie au chaud, jusqu'à
ce que la pâte ait doublé de volume.

☐ Graisser un moule carré de 23,5 cm de côté avec la moitié du beurre fondu,
verser goutte à goutte la moitié de la mélasse. Mélanger le sucre roux et
la cannelle dans un bol, puis saupoudrer la moitié de ce mélange sur le beurre
et la mélasse, au fond du moule. Répartir dessus la moitié des noix de pécan.

☐ Poser la pâte sur un plan de travail légèrement fariné et pétrir un peu.
Abaisser la pâte de façon à obtenir un rectangle de 20 cm x 40 cm. Verser le
reste de beurre sur la pâte, puis le reste de mélasse, goutte à goutte, et répartir
dessus le reste du mélange à base de sucre, les noix de pécan et les raisins de
Smyrne. Rouler la pâte sur son grand côté, comme un biscuit roulé.

☐ Découper le roulé avec un couteau affilé en tranches de 2,5 cm d'épaisseur,
poser ces dernières dans le moule, le côté coupé sur le dessous. Couvrir avec
un torchon, laisser lever 1 heure dans un endroit chaud jusqu'à ce que les tranches
aient doublé de volume. Préchauffer le four (170 °C).

☐ Faire cuire 35 à 40 minutes jusqu'à ce que tous les petits pains se détachent
du bord du moule. Poser sur une grille et laisser refroidir 2 minutes, disposer
sur un plat de service. Détacher les petits pains les uns des autres avec une
fourchette. Servir chaud.

BABKE SIMPLE ET RAPIDE

POUR 8 PARTS

Le *babke* est un gâteau à pâte levée, avec beaucoup d'œufs, d'origine russo-polonaise. Il existe probablement un gâteau semblable dans chaque pays ; il ressemble certainement au *kugelhopf* allemand, à la *bola* espagnole et au *bollo* des italien. Quoi qu'il en soit, ce gâteau aux raisins secs, aux noix, au citron et à l'orange est délicieux avec du café ou du thé. Cette recette est très simple, car il n'est pas nécessaire de pétrir la pâte et le gâteau est imbibé de sirop au rhum, comme le baba au rhum.

- 125 ml de lait
- 60 g de sucre
- 1 cuil. à soupe de levure déshydratée
- 60 g de beurre mou ou de margarine
- 3 œufs
- 1 cuil. à café d'extrait de vanille ou de rhum
- 315 g de farine
- 30 g d'amandes ou de noix hachées

- 45 g de raisins secs, trempés 10 minutes dans de l'eau chaude et égouttés
- 45 g d'écorces de citron ou d'orange confites

SIROP AU RHUM
- 125 g de sucre
- 2 cuil. à café d'extrait de rhum ou de vanille

☐ Faire chauffer le lait et le sucre dans une petite casserole, sur feu moyen, en remuant souvent jusqu'à ce que le mélange fasse des bulles et que le sucre soit dissous. Laisser refroidir jusqu'à ce que le lait soit tiède.

☐ Verser la levure déshydratée et la moitié du mélange lait-sucre dans le bol d'un mixeur, battre 1 minute jusqu'à ce que la levure déshydratée soit dissoute. Ajouter le reste de lait et le beurre (non fondu) ou la margarine.

☐ Battre au mixeur, à vitesse moyenne, les œufs, l'extrait de vanille ou de rhum et la farine jusqu'à obtention d'une pâte molle et lisse. Couvrir le bol avec un torchon propre, laisser reposer 1 heure ou 1 heure et demie au chaud jusqu'à ce que la pâte lève.

☐ Graisser un moule à fond amovible de 23,5 cm de diamètre et le saupoudrer de farine. Incorporer les amandes ou les noix, les raisins secs et le citron ou l'orange à la pâte avec une cuiller ou à la main. Verser dans le moule.

☐ Couvrir avec un torchon propre, laisser reposer 50 à 60 minutes au chaud jusqu'à ce que la pâte atteigne presque le bord supérieur du moule. Préchauffer le four (180 °C).

☐ Faire cuire 30 à 40 minutes jusqu'à ce que la surface soit bien dorée et ferme quand on appuie dessus.

☐ Préparer le sirop dans l'entre-temps. Mélanger le sucre et 125 ml d'eau dans une petite casserole, porter à ébullition ; remuer pour dissoudre le sucre. Retirer du feu, incorporer l'extrait de vanille ou de rhum.

☐ Une fois que le gâteau est cuit, le poser sur une grille et perforer immédiatement la surface avec une fourchette. Verser lentement le sirop sur le gâteau encore chaud.

☐ Laisser reposer le gâteau pendant 1 heure jusqu'à ce qu'il soit imbibé de sirop. Le glisser délicatement sur un plat de service. Servir chaud ou à température ambiante.

HABITATIONS DE JUIFS YÉMÉNITES, À SAMALA, YÉMEN DU NORD

GÂTEAU AU BEURRE

POUR 10–12 PARTS

Les gâteaux de type allemand ou autrichien montrent bien quel genre de gâteaux préféraient les Juifs d'Europe centrale et d'Europe orientale. Ils ont été importés aux États-Unis par les immigrants allemands et on en trouve toujours d'excellents dans les vieilles boulangeries juives allemandes.

- 2 cuil. à soupe de levure déshydratée
- 175 g de sucre
- 60 ml de lait tiède
- 175 g de beurre mou ou de margarine
- 3 œufs battus
- 250 ml de crème fraîche
- Zeste râpé de 1 citron
- 1 cuil. à café d'extrait de vanille
- 675 g de farine
- 1 cuil. à café de sel

FARCE
- 45 g de beurre mou ou de margarine
- 1 cuil. à soupe de cannelle
- 175 g de sucre
- 175 g de raisins de Smyrne
- 90 g d'écorces de citron confites

GLAÇAGE
- 3 à 4 cuil. à soupe de sucre glace
- 1 à 2 cuil. à café de jus de citron

☐ Mélanger la levure déshydratée, 2 cuillerées à soupe de sucre et le lait tiède dans un bol. Remuer 1 minute pour dissoudre la levure. Laisser reposer 7 à 10 minutes jusqu'à ce que des bulles se forment à la surface et que le mélange soit crémeux.

☐ Battre 2 à 3 minutes le beurre ou la margarine et le reste de sucre dans le bol d'un mixeur. Incorporer les œufs, la crème fraîche, le zeste de citron, la vanille et le mélange de levure déshydratée.

☐ Laver les batteurs et les remplacer par le crochet de pétrissage. Ajouter lentement la farine et le sel, à petite vitesse, et remuer jusqu'à obtention d'une pâte molle. Passer à la vitesse supérieure et pétrir 5 à 7 minutes jusqu'à ce que la pâte soit élastique.

☐ Graisser légèrement une terrine. Mettre la pâte dans la terrine et la retourner pour qu'elle soit graissée de toutes parts (ainsi, il n'y aura pas de croûte à la surface). Couvrir la terrine avec un torchon humide et laisser reposer 2 heures à 2 heures et demie au chaud jusqu'à ce que la pâte ait doublé de volume (ou couvrir la pâte avec un torchon et la mettre au réfrigérateur toute la nuit afin qu'elle lève lentement).

☐ Graisser légèrement une grande plaque. Poser la pâte sur un plan de travail légèrement fariné, l'abaisser de façon à obtenir un rectangle de 1,25 cm d'épaisseur et d'au moins 60 cm de côté. Badigeonner avec le beurre fondu. Mélanger la cannelle et le sucre dans un bol et en saupoudrer la pâte. Parsemer de raisins de Smyrne et d'écorces de citron.

☐ Rouler la pâte comme un biscuit roulé, poser les extrémités l'une contre l'autre. Appuyer sur les extrémités afin de former une couronne et poser la pâte sur la plaque. Prendre un couteau affilé ou des ciseaux et découper des fentes en diagonale, de l'extérieur vers l'intérieur, tous les 7,5 cm (la pâte lève ainsi plus régulièrement, la farce devient visible et on obtient un motif décoratif). Couvrir avec un torchon, laisser lever 1 heure et demie à 2 heures au chaud jusqu'à ce que la couronne ait doublé de volume.

☐ Préchauffer le four (190 °C). Faire cuire le gâteau 40 à 45 minutes jusqu'à ce qu'il soit doré. Le poser sur une grille et le laisser refroidir.

☐ Tamiser du sucre-glace dans un bol. Ajouter 2 cuillerées à soupe d'eau ou de jus de citron pour faire un glaçage. Ajouter encore un peu d'eau si nécessaire. Verser ce mélange goutte à goutte sur le gâteau et faire glisser ce dernier sur un plat de service. Servir chaud.

BAGELS

POUR 12 BAGELS

Les *bagels* sont de petits pains ronds, avec un trou au milieu ; ils symbolisent le cycle continu de la vie. Il est difficile de retracer l'origine des *bagels*, mais ils viennent probablement de Pologne ou d'Autriche, car le mot « bagel » pourrait dériver du mot austro-allemand « *beugel*, » qui signifie croissant et vient sans doute du mot « bügel », ou étrier, ou encore du mot germano-yiddish « *beigel* », qui signifie anneau ou bracelet. Quoi qu'il en soit, le *bagel* est certainement l'une des variétés de pain les plus populaires chez les Juifs, il se mange au petit-déjeuner, au brunch ou comme casse-croûte. Il est très apprécié avec du fromage frais et du saumon fumé, mais on le trouve aujourd'hui avec n'importe quelle garniture.

Le *bagel* original (*bagel* à l'eau) est fait avec de la farine au gluten et poché un instant dans l'eau pour réduire la teneur en amidon, avant le glaçage et la cuisson. C'est ce qui lui donne sa consistance typique. L'ajout d'œufs dans la pâte est une invention américaine, de même que les différentes variantes telles que *pumpernickel*, raisins secs-cannelle, graines de pavot ou de sésame, oignons, ail ou pizza ! Aux États-Unis, on trouve des boulangeries à *bagels* dans toutes les grandes villes. Les Canadiens se disputent pour savoir si les meilleurs *bagels* sont faits à Montréal ou à Toronto.

À Londres, les meilleurs *bagels* sont faits dans l'East End.

Les habitants juifs du quartier ont peu à peu disparu et ont été remplacés par des immigrants du Bangladesh, mais il existe encore une boutique où l'on vend du *bagel* à l'ancienne.

- 1 cuil. à soupe de levure déshydratée
- 2 cuil. à soupe de sucre
- 60 ml d'huile végétale ou 60 g de margarine
- 1 cuil. à café de sel
- 500 g de farine
- 1 œuf légèrement battu (facultatif)
- 1 œuf bien battu pour le glaçage
- Graines de pavot ou de sésame (facultatif)

☐ Mélanger la levure déshydratée et 1 cuillerée à soupe de sucre dans un bol. Faire chauffer le reste de sucre avec l'huile végétale ou la margarine, le sel et 250 ml d'eau dans une petite casserole, sur feu moyen, bien mélanger. Ajouter le mélange levure-sucre et remuer 1 à 2 minutes jusqu'à ce qu'il soit dissous. Laisser reposer 5 à 7 minutes jusqu'à ce des bulles se forment à la surface.

☐ Verser la farine dans le mixeur. Mettre en marche et verser lentement le liquide sur la farine jusqu'à ce qu'une boule se forme. Ajouter l'œuf et le liquide. Battre encore 1 minute. La pâte doit être homogène et non collante. Si elle est trop molle, ajouter un peu de farine et battre encore 30 secondes.

☐ Graisser légèrement une terrine avec de l'huile et mettre la pâte dans la terrine ; la retourner pour qu'elle soit couverte d'huile. Couvrir la terrine avec un torchon propre, laisser lever la pâte entre 1 heure et demie et 2 heures au chaud jusqu'à ce qu'elle ait doublé de volume.

☐ Poser la pâte sur un plan de travail légèrement fariné et pétrir 2 à 3 minutes. Couper en 12 morceaux de la même grosseur. Former un pâton d'environ 14 cm de long avec chaque morceau, mouiller légèrement les extrémités et former un anneau en appuyant dessus. Poser les anneaux sur une grande plaque légèrement beurrée. Couvrir avec un torchon, laisser lever 20 à 30 minutes jusqu'à ce qu'ils aient doublé de volume.

☐ Préchauffer le four (200 °C). Faire bouillir de l'eau dans une grande marmite. Faire glisser délicatement 3 à 4 *bagels* dans l'eau et les faire cuire 1 minute. Les poser sur du papier absorbant et les égoutter. Répéter l'opération avec tous les *bagels*.

☐ Graisser légèrement 2 plaques. Poser 6 *bagels* sur chaque plaque, les badigeonner avec l'œuf battu et les parsemer de graines de pavot ou de sésame, si on le désire. Faire cuire les *bagels* 20 minutes jusqu'à ce qu'ils soient dorés et croustillants. Les faire refroidir sur une grille. Servir chaud ou laisser refroidir complètement, faire réchauffer avant de servir, si nécessaire.

VARIANTE

BAGEL CHIPS

COUPEZ DES *BAGELS* DE LA VEILLE DANS LE SENS DE LA LONGUEUR EN TRANCHES DE 6 MM D'ÉPAISSEUR. BADIGEONNEZ AVEC DU BEURRE FONDU OU DE L'HUILE ET PARSEMEZ DE GRAINES DE SÉSAME OU DE PAVOT. FAITES CUIRE 4 À 5 MINUTES SUR UNE PLAQUE GRAISSÉE, DANS LE FOUR PRÉCHAUFFÉ À 190 °C, JUSQU'À CE QUE LES TRANCHES SOIENT DORÉES ET CROUSTILLANTES. LAISSEZ REFROIDIR SUR UNE GRILLE. CONSERVEZ DANS UNE BOÎTE HERMÉTIQUE.

PITA AU SÉSAME

POUR 12 PITAS

La pita est un pain plat, de forme ovale, que l'on trouve presque partout au Proche-Orient, aux États-Unis et en Grande-Bretagne. Afin qu'on ait l'impression qu'elle a été cuite dans un four en argile, on emploiera une plaque ronde ou une poêle en fonte. Ce pain est idéal pour tous ceux qui doivent surveiller leur ligne, car il est délicieux et ne contient pas de graisse.

- 500 g de farine
- 1 cuil. à café de sel
- 1 cuil. à soupe de levure déshydratée
- 375 ml d'eau tiède
- Graines de sésame dans lesquelles on roulera la pita

TRUC CONSEIL

POSEZ DES PITAS ACHETÉES SUR UNE PLAQUE, RÉCHAUFFEZ-LES 2 À 3 MINUTES DANS LE FOUR PRÉCHAUFFÉ À 200 °C, JUSQU'À CE QU'ELLES SOIENT CHAUDES ET GONFLÉES.

☐ Passer la farine et le sel au mixeur pendant 2 à 3 secondes.

☐ Mélanger la levure, le sucre et 125 ml d'eau dans un verre gradué ou dans un grand bol jusqu'à ce que la levure soit dissoute. Laisser reposer 10 à 12 minutes jusqu'à ce que des bulles se forment à la surface.

☐ Ajouter 250 ml d'eau tiède au mélange à base de levure et remuer. Mettre le mixeur en marche, ajouter peu à peu la levure à la farine. Si la pâte est trop sèche, ajouter un peu d'eau et mélanger jusqu'à obtention d'une boule de pâte. Remuer encore 1 minute.

☐ Graisser légèrement une terrine avec de l'huile, y mettre la pâte et la retourner pour qu'elle soit recouverte d'huile. Couvrir la pâte avec un torchon humide, laisser lever 1 heure et demie à   au chaud jusqu'à ce qu'elle ait doublé de volume.

☐ Poser la pâte sur un plan de travail légèrement fariné et pétrir un peu. Former un gros pâton, le couper en 12 morceaux de même grosseur. Former une boule bien homogène avec chaque morceau ; saupoudrer la surface de farine si nécessaire. Poser les boules sur une plaque farinée et couvrir avec un torchon. Laisser lever environ 30 minutes jusqu'à ce qu'elles aient doublé de volume.

☐ Mettre les graines de sésame dans un bol. Rouler chaque boule dans le sésame, jusqu'à ce qu'elle soit bien recouverte ; rajouter des graines de sésame dans le bol si nécessaire. Former avec chaque boule un cercle de 12,5 à 15 cm de diamètre sur un plan de travail légèrement fariné.

☐ Préchauffer le four (230 °C). Saupoudrer de farine 2 grandes plaques. Poser 3 à 4 cercles de pâte sur chaque plaque et faire cuire environ 3 minutes jusqu'à ce qu'elles commencent à dorer. Les retourner et les faire cuire 2 à 3 minutes. Faire cuire le reste de pâte. Servir.

À JÉRUSALEM, ON SOUFFLE LE *SCHOFAR* (CORNE DE BÉLIER) DEVANT LE MUR DES LAMENTATIONS À L'OCCASION DU NOUVEL AN.

KOUBANÉ

POUR 8 PARTS

Ce pain yéménite sucré se mange le jour du sabbat. C'est un pain mou, à demi cuit à la vapeur, que l'on peut manger avec de la confiture ou de la compote ou, à la mode yéménite, avec un chutney relevé ou de la *zhoug*, une sauce au piment fort. Le *koubané* peut être cuit dans le four ou sur la cuisinière, dans une poêle à fond épais.

- 1 cuil. à soupe de levure déshydratée
- 6 cuil. à soupe de sucre
- 500 ml d'eau tiède
- 500 g de farine
- 1 cuil. à café de sel
- 1/2 cuil. à café de cannelle ou de gingembre en poudre
- Beurre mou ou margarine pour graisser

☐ Mettre la levure, 1 cuillerée à café de sucre et 125 ml d'eau tiède dans le bol d'un mixeur avec crochet de pétrissage. Remuer 1 à 2 minutes jusqu'à ce que le levain soit dissous. Laisser reposer le mélange à la levure 5 à 7 minutes jusqu'à ce que des bulles se forment à la surface.

☐ Mélanger la farine, le sel et la cannelle ou le gingembre dans un grand bol. Ajouter 375 ml d'eau tiède et battre le tout au mixeur, à petite vitesse.

☐ Faire passer le mixeur à la vitesse inférieure, ajouter peu à peu le mélange de farine au mélange de levain jusqu'à obtention d'une pâte molle. Si la pâte colle trop, ajouter un peu de farine. Pétrir 5 à 7 minutes à vitesse moyenne jusqu'à ce que la pâte soit bien homogène, mais toujours molle.

☐ Graisser légèrement une terrine avec l'huile. Mettre la pâte dans la terrine, la retourner pour la recouvrir d'huile de toutes parts. Couvrir avec un torchon propre, laisser lever 1 heure et demie à 2 heures au chaud jusqu'à ce qu'elle ait doublé de volume.

☐ Poser la pâte sur un plan de travail légèrement fariné et pétrir un peu pour en expulser l'air. Remettre dans la terrine, couvrir et laisser lever encore 1 heure au chaud.

☐ Préchauffer le four (170 °C). Bien graisser un moule en couronne de 25 cm de diamètre avec 45 à 60 g de beurre mou ou de margarine. Poser la pâte sur un plan de travail légèrement fariné et pétrir légèrement pour expulser l'air. Couper la pâte en 8 morceaux. Faire une boule avec chaque morceau. Poser les boules au fond du moule de façon à ce qu'elles se touchent. Couvrir le moule laisser lever encore 30 minutes au chaud jusqu'à ce que les boules forment une couronne.

☐ Bien graisser une feuille de papier d'aluminium suffisamment grande pour recouvrir le moule. Bien fermer le moule avec cette feuille. Faire cuire environ 1 heure et demie jusqu'à ce que le pain se détache des bords du moule. Retirer délicatement la feuille de papier sulfurisé ; soulever d'abord un morceau au fond afin que la vapeur puisse s'échapper. Faire cuire encore 15 à 20 minutes si on le désire afin que la surface soit bien dorée. Servir chaud.

PAIN GREC FRAIS SORTANT DU FOUR

PAIN DE SEIGLE À L'ANCIENNE

POUR 2 PAINS

En Amérique, le pain de seigle est tellement associé à la nourriture juive que le fabricant de pain Levy a inventé le slogan : « Il n'est pas nécessaire d'être Juif pour manger le pain de Levy. » En fait, le pain de seigle n'est pas spécifiquement juif, mais les boulangers juifs de Russie et de Pologne, arrivés aux États-Unis pendant la grande vague d'immigration, à la fin du XIXe siècle, faisaient leur pain selon les recettes de leur ancienne patrie, et leur pain a gagné en popularité.
Le pain de seigle contient peu de gluten, c'est pourquoi il faut ajouter de la farine de froment pour le rendre plus léger et l'empêcher de s'émietter. Une pâte qui contient de la farine de seigle est difficile à travailler, on emploiera donc un mixeur.

- 5 tasses de farine de froment
- 3 tasses de farine de seigle
- 2 cuil. à café de sel
- 2 sachets (2 cuil. à soupe) de levure de boulanger
- 1 cuil. à café de sucre
- 2 cuil. à soupe de cumin
- 1/3 de tasse d'huile végétale
- 2 1/2 tasses d'eau tiède
- 1 œuf battu ou 2 cuil. à soupe de beurre mou ou de margarine, pour badigeonner le pain

VARIANTE

PRÉPAREZ LA PÂTE COMME INDIQUÉ CI-DESSUS, MAIS FORMEZ DEUX PAINS LONGS ET NON PAS RONDS. COUPEZ APRÈS AVOIR BADIGEONNÉ AVEC L'ŒUF ET PARSEMEZ DE 1 CUILLERÉE À SOUPE DE CUMIN.

☐ Mélanger les deux sortes de farine et le sel dans une grande terrine. Mettre de côté. Mélanger la levure, le sucre et le cumin dans le bol d'un mixeur muni d'un crochet de pétrissage. Ajouter l'huile et une tasse d'eau tiède. Remuer et saupoudrer de farine. Couvrir la terrine avec un torchon propre, laisser reposer 10 à 12 minutes jusqu'à ce que le mélange soit légèrement mousseux et fasse des bulles.

☐ Faire passer le mixeur à la vitesse inférieure, verser 1 1/2 tasse d'eau tiède et remuer le tout. Ajouter la farine peu à peu ; une fois qu'elle est bien mélangée, la pâte devient collante. Il est possible qu'il reste un peu de farine. Faire passer le mixeur à la vitesse moyenne, pétrir la pâte 5 à 7 minutes jusqu'à ce qu'elle forme une boule molle autour du crochet de pétrissage et se détache du bord du bol. Si la pâte colle encore, ajouter un peu de farine de froment et pétrir encore 2 minutes. Ne pas ajouter trop de farine, sinon le pain serait trop ferme.

☐ Graisser légèrement une terrine et y déposer la pâte ; retourner la pâte pour la recouvrir d'huile. Couvrir la terrine avec un torchon, laisser lever la pâte 1 heure et demie à 2 heures au chaud, à l'abri des courants d'air, jusqu'à ce qu'elle ait doublé de volume.

☐ Graisser légèrement une grande plaque. Mettre la pâte sur un plan de travail légèrement fariné et pétrir doucement pour expulser l'air. Pétrir encore, puis couper la pâte en deux et former avec chaque moitié une boule ronde et lisse. Poser chaque boule dans un coin de la plaque, aplatir un peu et couvrir avec un torchon. Laisser lever encore 1 heure jusqu'à ce que les pains aient presque doublé de volume.

☐ Préchauffer le four (180 °C). Badigeonner les pains avec l'œuf, le beurre fondu ou la margarine. Faire 2 à 3 fentes à la surface de chaque pain avec un couteau affilé. Faire cuire 35 à 40 minutes jusqu'à ce qu'ils aient une belle couleur brune et sonnent creux quand on frappe contre le dessous. Laisser refroidir sur une grille, pour ne pas qu'ils ramollissent.

BOULANGERIE DE CAMPAGNE EN NORMANDIE

HALLAH

POUR 2 PAINS

La *hallah* est le pain traditionnel aux œufs et à la pâte levée que les Juifs mangent le jour du sabbat ou les autres jours de fête. En général, on fait une tresse, sauf le jour de Rosh Haschana. Ce jour-là, on fait un pain spécial, en forme de spirale, qui signifie que l'on lève les mains vers le ciel dans l'attente d'une bonne nouvelle année. C'est le pain aux œufs le plus populaire aux États-Unis et aussi le plus varié, parce qu'il est mollet, ressemble à un gâteau et convient très bien à la plupart des mets

- 1 cuil. à soupe de levure déshydratée
- 1 cuil. à soupe de sucre
- 75 ml d'eau tiède
- 1 cuil. à café de sel
- 5 cuil. à soupe d'huile végétale
- 2 œufs battus
- 750 g de farine tamisée
- 1 œuf battu avec 1 prise de sel et 1 prise de sucre pour badigeonner le pain
- Graines de pavot ou de sésame

VARIANTE

POUR LA SPIRALE TRADITIONNELLE DE ROSH HASCHANA, PRÉPAREZ LA PÂTE COMME INDIQUÉ CI-DESSUS, MAIS FORMEZ AVEC CHAQUE MOITIÉ DE PÂTE UN PÂTON DE 60 CM DE LONG ET DE 2,5 CM DE DIAMÈTRE. TENEZ UNE EXTRÉMITÉ DU PÂTON ET TOURNEZ LA PÂTE SUR ELLE-MÊME JUSQU'À CE QU'ELLE FORME UNE SPIRALE CONCENTRIQUE. POSEZ CELLE-CI DANS LE COIN SUPÉRIEUR GAUCHE DE LA PLAQUE ET GLISSEZ L'EXTRÉMITÉ DE LA PÂTE SOUS LA SPIRALE. PROCÉDEZ DE MÊME AVEC LA SECONDE MOITIÉ DE PÂTE. POSEZ LA SPIRALE DANS LE COIN INFÉRIEUR DROIT DE LA PLAQUE ET FAITES CUIRE COMME LES PAINS.

☐ Mélanger la levure et le sucre dans le bol d'un mixeur muni d'un crochet de pétrissage. Ajouter l'eau. Saupoudrer la surface avec un peu de farine. Couvrir avec un torchon propre, laisser reposer 10 à 12 minutes jusqu'à ce que le mélange mousse un peu et fasse des bulles.

☐ Faire passer le mixeur à la vitesse inférieure, bien mélanger le sel, l'huile et les œufs. Ajouter peu à peu la farine; quand elle est complètement mélangée au reste, la pâte colle un peu. Faire passer le mixeur à la vitesse moyenne, pétrir 5 à 7 minutes jusqu'à ce que la pâte forme une boule autour du crochet de pétrissage et se détache du bord du bol. Si la pâte colle toujours, ajouter un peu de farine et pétrir encore 2 minutes. Ne pas ajouter trop de farine, car plus la pâte est molle, plus le pain est humide.

☐ Graisser légèrement une grande terrine. Y mettre la pâte et la retourner pour l'humecter avec l'huile. Couvrir avec un torchon propre, laisser lever 1 heure et demie à 2 heures au chaud, à l'abri des courants d'air, jusqu'à ce que la pâte ait doublé de volume; il ne doit pas faire trop chaud, sinon la consistance serait irrégulière.

☐ Mettre la pâte sur un plan de travail légèrement fariné et pétrir délicatement. Remettre dans la terrine, bien couvrir et mettre au réfrigérateur 6 à 8 heures ou toute la nuit pour que la pâte lève très lentement. Quand la pâte lève lentement, elle est légère et régulière.

☐ Mettre la pâte sur un plan de travail légèrement fariné et pétrir légèrement. Former une boule et la couper en deux morceaux d'égale grosseur.

☐ Graisser légèrement une grande plaque. Travailler d'abord une moitié, la couper en trois morceaux d'égale grosseur et faire trois boules avec ces derniers. Faire un pâton d'environ 45 cm de long et de 2,5 cm de large avec chaque boule. Natter les trois pâtons, poser la natte sur la plaque, en repliant les extrémités sous la natte. Procéder de la même manière avec le reste de pâte et former la deuxième natte.

☐ Recouvrir les nattes avec un torchon propre, laisser lever 1 heure au chaud jusqu'à ce qu'elles aient presque doublé de volume. Préchauffer le four (190 °C).

☐ Badigeonner chaque natte avec l'œuf et parsemer de graines de sésame ou de pavot. Faire cuire 40 minutes jusqu'à ce que les nattes prennent une belle couleur brune et sonnent creux quand on frappe dessous. Poser sur une grille et laisser refroidir.